C000264782

Livre de rec
sur le régime renal

Plus de 50 recettes saines et
nutritionnelles pour gérer les
faibles niveaux de potassium, de
sodium et de phosphore

Alessandra Pusceddu

Table des matières

INTRODUCTION

L'insuffisance rénale a de nombreuses causes possibles; certains provoquent un déclin rapide de la fonction rénale (lésion rénale aiguë, également appelée insuffisance rénale aiguë) et d'autres conduisent à un déclin progressif de la fonction rénale (insuffisance rénale chronique, également appelée insuffisance rénale chronique). En plus de ne pas pouvoir filtrer les déchets métaboliques du sang, les reins, en plus de ne pas pouvoir filtrer le métabolite des déchets (créatinine, urée), ont une moindre capacité à contrôler la quantité et la distribution de l'eau dans le corps, la concentration d'électrolytes (sodium, potassium, calcium, phosphate) et les concentrations d'acide dans le sang.

Au début de l'insuffisance rénale, il y a souvent une augmentation de la pression artérielle. Les reins perdent leur capacité à produire des quantités suffisantes d'une hormone (érythropoïétine) qui stimule la formation de nouveaux globules rouges, entraînant de faibles taux de globules rouges (anémie). Les reins ne produisent pas non plus suffisamment de calcitriol, la forme active de la vitamine D, vitale pour la santé de vos os. Les enfants et les adultes diagnostiqués avec une insuffisance rénale sont susceptibles d'avoir des os cassants ou des os gravement affaiblis en raison de l'incapacité des os à se développer correctement.

L'insuffisance rénale peut affecter les personnes âgées plus que les personnes plus jeunes, car elle affecte les reins eux-mêmes. Chez les personnes âgées, une diminution de l'activité rénale augmente le risque à la fois d'insuffisance rénale et d'hypertension sensible au sel. De nombreuses maladies rénales peuvent être traitées, tout comme les maladies rénales peuvent être guéries ou traitées. Introduite avec l'invention de la dialyse et de la transplantation rénale, l'insuffisance rénale (qui était autrefois mortelle) a maintenant été transformée en une maladie traitable.

CHAPITRE UN
Comprendre les maladies rénales

L'insuffisance rénale est une maladie rénale et signifie qu'ils ne fonctionnent plus pleinement dans les paramètres normaux. Dans ces conditions, les reins ne remplissent plus leur fonction principale: éliminer les substances toxiques, l'eau et autres composés nocifs du corps. Par la suite, les résidus sont retenus dans le corps.

L'insuffisance rénale est également connue sous le nom de maladie rénale chronique (MRC) et peut entraîner diverses complications. Par conséquent, il est important de connaître ses causes, ses symptômes, la manière dont la maladie est diagnostiquée et le traitement que les médecins recommandent généralement aux patients souffrant de cette maladie.

Quel est le rôle des reins dans le corps?

Les reins sont des organes appariés et ont la forme de haricots. Ils sont situés de manière rétropéritonéale, de chaque côté de la colonne vertébrale. Un rein pèse environ 150 grammes chez l'adulte, mesure 12 centimètres de long, 6-7 centimètres de large et 3 centimètres d'épaisseur.

Les principaux rôles des reins comprennent:

- élimination des produits du catabolisme - le processus métabolique par lequel les molécules complexes de certaines substances énergétiques, telles que les lipides, les protéines et les glucides, sont transformées en molécules plus simples, puis éliminées, pour produire de l'énergie;
- élimination de l'excès d'eau du sang;
- réguler les niveaux de minéraux - calcium, sodium, potassium - dans le sang;
- production d'hormones importantes pour le fonctionnement de l'organisme - érythropoïétine (soutient la production de globules rouges), rénine (régule le volume sanguin et la pression artérielle).

Chaque jour, les reins filtrent environ 200 litres de sang et produisent environ 2 litres d'urine.

Les étapes de l'insuffisance rénale chronique

L'insuffisance rénale chronique survient lorsque vous souffrez d'une perte progressive et permanente de vos fonctions rénales. Il n'y a pas de médicament spécifique pour remédier à ces pathologies, mais vous pouvez retarder leur progression.

Les cinq stades de la maladie

Les reins sont considérés comme normaux et sains tant qu'ils ont une fonction de filtration normale et qu'il n'y a pas de sang ou de protéine présent dans l'urine. Le niveau de fonction de filtration dépend de l'âge et de nombreux autres facteurs pouvant affecter les reins. Si votre fonction rénale est diminuée de façon permanente, vous êtes considéré comme souffrant d'une maladie rénale chronique. Les reins peuvent progressivement perdre leur capacité à filtrer les déchets du sang. Le processus de développement de l'insuffisance rénale chonique évolue en 5 étapes: aux étapes 1 à 4, tout est fait pour préserver les fonctions rénales; au dernier stade, un traitement par dialyse ou une greffe sont les seules alternatives pour pallier la fonction rénale.

Etapes 1 et 2: vous ne remarquerez peut-être pas

Aux stades 1 et 2, vous ne savez probablement pas que votre fonction rénale est réduite. Si votre médecin a posé le diagnostic, vous devrez peut-être prendre des médicaments. Il est important que votre tension artérielle soit surveillée régulièrement et qu'elle soit bien contrôlée. Si vous êtes diabétique, vous devez vérifier régulièrement votre taux de sucre dans le sang. Avec votre médecin, vous pouvez garder cette situation sous contrôle.

Étape 3: Besoin d'agir

Au stade 3, votre fonction rénale n'est que de 30 à 60% de sa pleine capacité. Vous devez être en contact avec une équipe de soins pour évaluer régulièrement votre état. Il est désormais très important de suivre l'évolution de votre maladie et de faire tout son possible pour la ralentir. À ce stade, l'objectif est de retarder et, si possible, d'empêcher la progression vers les stades 4 puis 5. Plus d'un médicament vous sera probablement prescrit et vous devrez suivre un régime et un programme. exercice physique. En consultation avec votre médecin et l'équipe de soins, vous devez commencer à anticiper les conséquences de la maladie et éventuellement la nécessité d'une dialyse ou d'une transplantation rénale.

Étape 4 et 5: vos reins ne sont plus en mesure de remplir leur fonction

L'insuffisance rénale survient lorsque les reins ont perdu environ 85 à 90% de leur capacité de filtration. Cela entraîne une accumulation de déchets, d'eau et d'autres substances dans votre sang, ce qui peut être dangereux. Lorsque la maladie a progressé à ce stade, une dialyse ou une greffe de rein doit être envisagée pour rester en vie. Il est alors temps pour vous de décider quel traitement est possible et lequel vous convient le mieux.

Quelles sont les causes de l'insuffisance rénale?

Plusieurs causes, notamment: peuvent déclencher une insuffisance rénale

- glomérulonéphrite - affecte le système de filtration des reins;
- diabète de type I et II - ceux-ci peuvent conduire à une néphropathie diabétique, l'une des causes de l'insuffisance rénale chronique;
- hypertension incontrôlée;
- maladie polykystique héréditaire;
- administration régulière d'analgésiques tels que l'acétaminophène ou l'ibuprofène pendant une longue période; ils peuvent provoquer une néphropathie analgésique, l'une des causes de l'insuffisance rénale;
- l'athérosclérose, qui peut provoquer une néphropathie ischémique, une autre cause de maladie rénale;
- la présence de calculs vésicaux, de rétrécissements, de tumeurs ou d'adénomes de la prostate qui obstruent les voies urinaires;
- les pathologies vasculaires, telles que l'arthrite, la vascularite ou la dysplasie fibromusculaire;
- troubles articulaires et musculaires nécessitant l'utilisation régulière de solutions anti-inflammatoires;
- l'héritage génétique

Le risque d'insuffisance rénale existe également chez les personnes qui:

- êtes infecté par le VIH;
- l'usage de drogues;

- souffre d'amylose - implique l'accumulation anormale d'amyloïde (une protéine) dans divers tissus ou organes;
- souffre d'érythémateux systémique - maladie auto-immune chronique;
- avez des calculs rénaux;
- souffre d'infections rénales chroniques.

Quels sont les symptômes de l'insuffisance rénale?

L'évolution de l'insuffisance rénale est lente et, pour cette raison, les symptômes de la maladie ne sont pas très évidents. Ceux-ci sont:

- couleur foncée ou trouble de l'urine;
- urination fréquente;
- faible quantité d'urine;
- douleur pendant la miction;
- œdème des paupières, des membres supérieurs et des membres inférieurs;
- hypertension;
- maux de tête;
- crampes musculaires.

Avec l'évolution de la maladie, il y a aussi le risque de crises d'épilepsie ou de confusion mentale. D'autres symptômes peuvent également signaler des complications:

- douleur thoracique;
- dyspnée (difficulté à respirer);
- nausées Vomissements;
- saignement sévère;
- perte de conscience;
- douleur articulaire sévère.

Comment diagnostiquer une insuffisance rénale

Le diagnostic d'insuffisance rénale est posé par des tests sanguins et urinaires, que le médecin peut recommander en cas de suspicion de présence de cette affection. Ceux-ci peuvent inclure:

- créatinine sérique - une augmentation de son taux peut être le premier signe d'insuffisance rénale aiguë;
- BON - représente la teneur en azote de l'urée. Un niveau élevé de BUN (azote urique sanguin) signifie la présence d'une insuffisance rénale;

- hémoleucogramme - est utile pour détecter des maladies ou des infections pouvant entraîner une insuffisance rénale, car il fournit des détails importants sur les globules rouges, les globules blancs et les plaquettes.

Quant aux analyses d'urine qui peuvent être effectuées pour le diagnostic, elles permettent d'obtenir des informations sur les sédiments urinaires ou les éosinophiles urinaires - ces derniers, présents dans l'urine, peuvent indiquer une réaction allergique néfaste aux reins.

L'IRM (résonance magnétique nucléaire) et la tomodensitométrie (tomographie par ordinateur) sont d'autres investigations qui peuvent aider le médecin à diagnostiquer une insuffisance rénale, ce qui permet une vue détaillée des reins.

La biopsie rénale - qui consiste à prélever des tissus du parenchyme rénal en insérant une aiguille spéciale - peut également être recommandée par votre médecin pour poser un diagnostic correct. Dans la plupart des cas, cela est fait, si nécessaire, après que d'autres investigations n'ont pas pu établir un diagnostic précis. La méthode n'est pas recommandée pour les patients atteints d'un cancer du rein.

Quel est le traitement de l'insuffisance rénale?

L'insuffisance rénale ne peut être guérie, mais elle peut être maîtrisée. Les premières étapes qu'une personne atteinte de cette maladie doit prendre en compte comprennent des changements alimentaires. Il est nécessaire de réduire l'apport en protéines, de ralentir l'accumulation de résidus dans l'organisme et de limiter les manifestations associées à une maladie rénale.

Par la suite ou en parallèle à l'application de ces mesures, le médecin peut également recommander l'administration d'un traitement médicamenteux, à plusieurs fins:

- pour corriger ou traiter la cause qui a conduit à l'apparition d'une insuffisance rénale;
- pour soutenir le fonctionnement des reins jusqu'à ce qu'ils guérissent;
- pour prévenir ou traiter les complications de l'insuffisance rénale.

Le traitement que le médecin recommande aux patients souffrant d'insuffisance rénale dépend de la cause qui a conduit à l'apparition de la maladie. Si le traitement médicamenteux n'obtient pas les résultats escomptés et que la fonction rénale se détériore, le patient peut avoir besoin d'une dialyse ou d'une transplantation rénale.

CHAPITRE DEUX
Étapes pour contrôler l'insuffisance rénale chronique

Rechercher un traitement pour l'hypertension

La pression est désormais considérée comme la principale cause d'insuffisance rénale chronique. Selon le néphrologue Nestor Scho, professeur à l'Unifesp, l'augmentation de la pression artérielle endommage les vaisseaux sanguins des reins et peut provoquer une néphropathie hypertensive. «De cette façon, l'orgue devient surchargé et perd peu à peu sa capacité de filtrage», explique-t-il. La prise en charge de l'hypertension est essentielle même lorsqu'elle n'est pas la cause d'une insuffisance rénale chronique, car elle devient encore plus importante au stade avancé de la maladie.

Contrôle du diabète

«Le diabète est la deuxième cause d'insuffisance rénale chronique», déclare le néphrologue Lucio Roberto Requião Moura de l'hôpital Israelita Albert Einstein. En effet, la maladie déclenche la soi-disant néphropathie diabétique, une modification des vaisseaux rénaux qui entraîne une perte de protéines chez Par ailleurs, le diabète favorise l'athérosclérose, la formation de plaques graisseuses dans les artères qui entrave le travail de filtration des reins. Au fil du temps, de plus en plus de substances toxiques sont piégées dans le corps, entraînant la mort. Par conséquent, une façon de détecter le Le problème est de faire des analyses d'urine pour savoir si la protéine est en train d'être éliminée. Ceux qui ont déjà reçu un diagnostic de diabète doivent être plus conscients de leur santé rénale.

Surveillez le poids

Les personnes en surpoids (Découvrez leur poids idéal) ont un risque plus élevé de développer une hypertension et un diabète, ce qui est une raison suffisante pour ne pas laisser la balance se lever, explique le néphrologue Lucio. De plus, l'obésité modifie la manière dont le sang atteint les reins sous l'influence de certaines hormones, surchargeant l'organe. De plus, le surpoids est un facteur de risque d'hypercholestérolémie et de triglycérides.

Adaptez votre alimentation

En ce qui concerne l'alimentation, il est essentiel d'analyser la maladie sous-jacente qui a déclenché une insuffisance rénale. Par exemple, s'il s'agit de diabète, le régime alimentaire devrait être le bon régime pour les personnes atteintes de diabète. S'il s'agit d'hypertension, la consommation de sel devrait être réduite. «Cependant, en général, il est recommandé au patient d'éviter un apport excessif en protéines, notamment d'origine animale, qui donne naissance à des éléments toxiques dans l'organisme qui feraient travailler les reins plus fort», explique le néphrologue Nestor. Dans des cas spécifiques d'insuffisance encore, il peut y avoir rétention de potassium dans l'organisme. Les patients souffrant de ce problème doivent préparer les aliments de manière à ce qu'ils libèrent une partie de ce nutriment. Les légumes, par exemple, doivent être cuits.

Renseignez-vous sur les médicaments

L'automédication est dangereuse même pour les personnes en bonne santé. Pour les personnes souffrant d'insuffisance rénale, cependant, une utilisation sans évaluation médicale appropriée peut accélérer la détérioration des reins. "Les plus dangereux sont les anti-inflammatoires non hormonaux", prévient le néphrologue Lucio. Par conséquent, expliquez votre problème au début de chaque rendez-vous médical pour éviter d'aggraver la maladie.

Façon de boire de l'alcool

Bien qu'aucune étude ne prouve la relation isolée entre la consommation d'alcool et l'insuffisance rénale chronique, l'abus d'alcool compromet le fonctionnement de l'organisme dans son ensemble. Ainsi, il est recommandé de gérer la consommation. Si vous prenez un verre, cependant, le néphrologue Nestor vous conseille d'opter pour le vin. «Il contient des antioxydants qui peuvent aider à éliminer les toxines concentrées dans le corps.

Éteignez la cigarette.

«Les cigarettes sont responsables de l'aggravation de la pression artérielle et sont toujours impliquées dans des changements hormonaux qui aggravent la fonction rénale», explique le néphrologue Lucio. De plus, le tabagisme déclenche un effet de vasoconstriction, diminuant le volume de sang filtré par les reins. Dans ce cas, il n'y a pas d'option de modération. Le patient doit mettre fin à la dépendance.

Exercices pratiques

Le dernier soin recommandé pour les personnes souffrant d'insuffisance rénale chronique est l'exercice régulier. «Il prévient le diabète, l'hypertension, l'obésité, entre autres problèmes, et améliore la circulation et la fonction rénale», explique le néphrologue Nestor. Selon lui, toute activité est déjà meilleure que l'inactivité physique. Pourtant, il est toujours recommandé de rechercher une formation qui plaise au patient pour ne pas se décourager avec le temps.

Un régime pour la maladie rénale chronique

La maladie rénale chronique (IRC) fait référence à la détérioration continue des reins qui évolue au fil du temps (en savoir plus sur la relation entre IRC CKD ici. Détectée cliniquement lorsque le débit de filtration glomérulaire (DFG) tombe en dessous de 60 ml / min pendant au moins trois mois , ce n'est que lorsqu'elle descend en dessous de 30 ml / min qu'une symptomatologie marquée se produit.

"Une fois le CRI détecté, le régime devient une stratégie inégalée pour aider à prévenir ou ralentir la détérioration des reins, c'est pourquoi ce que nous mangeons et buvons devient important."

Les recommandations du régime alimentaire de la personne atteinte de CRF varieront en fonction du stade et des caractéristiques de la maladie elle-même. Pourtant, ils doivent prendre en compte, nécessairement, les paramètres suivants:

Contrôle de l'apport protéique: Une restriction des protéines alimentaires doit être faite car les substances issues de leur métabolisme (urée, créatine, phosphates) accélèrent l'évolution de la maladie.

Contrôle de l'apport en sodium: En cas d'insuffisance rénale, les reins ne peuvent pas éliminer l'excès de sodium pour maintenir l'équilibre du corps. De plus, le sodium intervient sur notre tension artérielle et favorise la rétention hydrique, en plus de provoquer une plus excellente sensation de soif, ce qui peut compromettre l'apport hydrique.

Contrôle de l'apport en potassium: Le potassium est un minéral essentiel pour maintenir une fonction nerveuse et musculaire saine. En cas d'insuffisance rénale, le rein ne peut pas éliminer le potassium que nous ingérons, pouvant produire, s'il s'accumule en excès, une faiblesse musculaire, des crampes, et même compromettre notre rythme cardiaque.

Apport de phosphore: Le phosphore est un minéral présent dans tous les aliments, bien qu'en quantités variables. En cas d'insuffisance rénale, il s'accumule dans le sang et est responsable de la calcification vasculaire et de la détérioration progressive des os.

Parmi ces paramètres, en fonction de l'état de la pathologie, l'apport hydrique doit également être pris en compte, cet apport doit donc être adapté à l'hydratation et à l'état diurétique de la personne, ou, le néphrologue déterminera le volume de liquide qui peut ingérer

L'un des risques les plus courants de ce type de régime alimentaire restreint en protéines est la malnutrition. Nous devons garantir un apport calorique adéquat. Pour ce faire, la prise en compte de l'apport en glucides (le composant principal des aliments comme le riz ou les fruits) qui correspond, s'avérera une bonne option - dans ce cas, les prendre dans leur version raffinée (par exemple, dans la farine , pâtes, etc.), car les versions intégrales contiennent de grandes quantités de minéraux, en particulier de phosphore. Dans le même but, les lipides (généralement appelés `` graisses '', sont le principal composant d'aliments tels que l'huile, le beurre, les sauces comme la mayonnaise, etc.), ils nous apporteront également des calories, contribuant à enrichir notre alimentation. Néanmoins, il faudra choisir celles riches en graisses insaturées (comme l'huile d'olive).

Pour faciliter que l'apport en minéraux avec implication dans la pathologie corresponde à la restriction indiquée, il sera essentiel de connaître la teneur de ceux-ci dans les aliments et leurs fréquences de consommation recommandées. Aussi, pour réduire cette teneur en minéraux des aliments à consommer, il sera important de suivre certaines recommandations sur les techniques de cuisson utilisées pour les préparer. Ces conseils et recommandations culinaires faciliteront l'élimination d'une partie de cette teneur en minéraux afin que l'apport soit encore plus faible.

Pour une mise en place adéquate de ce type de planification alimentaire, la lecture des étiquettes nutritionnelles sera très importante. Ils sont généralement une source complète d'informations qui nous permettront de choisir les aliments les plus adaptés. De même, il faut être attentif au concept de ration, car il sera nécessaire d'ajuster les ratios de certains groupes alimentaires, avec une attention particulière aux protéines, et donc de ne pas compromettre la santé.

Nourriture non autorisée

- Alcool et spiritueux

Pour réduire le sodium

- Cubes de bouillon, extraits de viande
- Aliments en saumure, salés, à l'huile (câpres, olives, conserves de viande ou poisson)
- Margarine, mayonnaise, moutarde, autres sauces
- Lait en poudre
- Snacks salés, cacahuètes, pop-corn

Pour réduire le phosphore

- Saucisses en général et charcuterie
- Fromages sauf ricotta et mozzarella
- Chocolat
- la levure de bière
- Abats (foie, reins, cœur, cerveau, etc ...) et viandes grasses: agneau, oie, canard, poule, gibier.
- Jaune d'œuf
- Légumes séchés
- Fruit sec
- Crevette
- Les farines
- Fibre

Pour réduire le potassium

La limitation des aliments riches en potassium ne doit être effectuée que sur l'indication précise du néphrologue traitant. De nombreux aliments riches en potassium présentent d'importants bienfaits pour la santé et peuvent aider à prévenir l'apparition de maladies cardiovasculaires si fréquemment associées à cette pathologie.

- Fruits tels que raisins, bananes, châtaignes, noix de coco, kiwis, fruits secs
- Jus de fruits
- Artichauts et épinards
- Pommes de terre
- Fibre
- Produits de repas complets
- Sels diététiques

- les légumineuses
- Champignons
- Saucisses
- jambon
- Soja
- Cacao amer et chocolat
- Lait en poudre
- Persil
- Sardines, sardines, stockfish
- la levure de bière

Aliments autorisés avec modération

- Le sel. Il est judicieux de réduire la quantité ajoutée aux plats pendant et après la cuisson et de limiter la consommation d'aliments qui en contiennent naturellement de grandes quantités (conserves ou saumures, extraits de noix et de viande, sauces de type soja). Le sel ordinaire ne doit pas être remplacé par des «sels alimentaires» car ils sont riches en potassium.
- Vin 100 cc pour le déjeuner et 100 cc pour le dîner ou bière 150 cc pour le déjeuner et 150 cc pour le dîner, sous réserve d'autorisation médicale.
- Café. Limitez la consommation, si le médecin ne l'interdit pas complètement, à deux tasses par jour.
- Miel, confiture, sucre. Sans phosphore mais à consommer avec modération en raison de la teneur en sucres simples.

Pour réduire le sodium

- Pizza, pain, craquelins et gressins.

Pour réduire le phosphore

- Lait, yaourt, crème
- Pâtes, riz, orge
- Légumineuses fraîches
- Chocolat
- Poisson
- Fromages frais tels que la ricotta et la mozzarella

Aliments autorisés et recommandés

- Pâtes, pain, riz
- Pain toscan. Le pain toscan peut être remplacé par des gressins sans sel ou des biscottes sans sel
- Les aliments sans protéines spécialement produits sans protéines peuvent améliorer l'appétence du régime comme le pain, les pâtes, le riz, la farine, les craquelins, les biscottes, les biscuits et permettre des portions plus acceptables de plats contenant des protéines animales. Ces aliments sont également disponibles dans les supermarchés.
- Viande, tous types sauf les très gras. Choisissez les parties les plus maigres et les moins veinées. La peau de volaille doit être jetée.
- Poisson, frais ou congelé, à l'exception des variétés grasses. Le poisson frais doit être lavé à l'eau courante en abondance, car il est parfois stocké

dans l'eau et le sel ou sous la glace et le sel avant d'être vendu.

- Légumes, frais et surgelés, à l'exclusion des légumineuses (haricots, pois chiches, lentilles, fèves, pois). Les champignons et les artichauts ne peuvent être consommés qu'occasionnellement.
- À l'exception de celui mentionné ci-dessus, les fruits peuvent être consommés à la fois frais et cuits, en salade de fruits ou en purée sans ajouter de lait.
- Condiments, privilégiez l'utilisation d'huile d'olive extra vierge ou choisissez de l'huile de graines (pas de graines diverses mais d'une seule graine, par exemple huile de maïs, huile d'arachide, huile de tournesol).
- Eau naturelle ou minérale.
- Épices et herbes

Régime alimentaire rénal

Jour 1

Matin: tisane au goût, pain complet avec du fromage blanc faible en gras, assaisonné de graines de carvi fraîchement moulues, paprika, curcuma
Déjeuner: casserole de pâtes aux carottes avec oignons nouveaux et pignons de pin. Pour ce faire, faites cuire les pâtes en ruban de blé entier jusqu'à ce qu'elles soient tendres, faites revenir les carottes et les oignons dans un

peu d'huile de carthame pendant la cuisson, puis faites griller les pignons de pin et ajoutez-les. Mélangez le tout sur un grand plat, assaisonnez avec des herbes fraîches comme le persil et versez quelques touches de ricotta sur le dessus. *Soir:*légumes au four. Pour ce faire, lavez les patates douces, les poivrons, les oignons, l'ail, les pommes de terre, les auberges (choisissez selon votre goût), coupez-les en lanières et placez-les sur un plateau graissé à l'huile d'olive, faites cuire à 200 degrés, assaisonnez avec des herbes fraîches telles que Romarin. Si c'est trop sec pour vous: assaisonnez le yaourt écrémé avec de l'ail et de l'aneth frais et utilisez-le comme trempette.

Entre les deux / collation

Fruit

Pâtisseries à grains entiers, comme le bretzel au sésame, sans le crumble au sel

Smoothie aux légumes verts.

Jour 2

Matin: muesli à base de flocons d'avoine, de graines de lin, de baies, de yaourt faible en gras et de tisane

Déjeuner:salade de pâtes aux tomates séchées et aux oranges. Faire cuire des pâtes telles que farfalle ou penne al dente, hacher les tomates séchées et fileter une orange. Servir les lanières de tomates et les filets d'orange avec un peu d'huile d'olive, hacher le persil frais ou le cerfeuil et assaisonner la vinaigrette avec, ajouter du vinaigre de fruits fin au goût, mélanger avec les pâtes.

Soir: tomates et concombres à la mozzarella, aromatisés à l'huile d'olive de haute qualité et au basilic frais, servis avec du pain de grains entiers

Entre les deux / collation

Fruit

Pâtisseries à grains entiers, comme le bretzel au sésame, sans crumble au sel

Smoothie rouge orangé.

Jour 3

Du matin: Pain de grains entiers au fromage à la crème au lait de chèvre ou de brebis, assaisonné d'herbes fraîches au goût, comme la ciboulette

Déjeuner: steak de volaille aux légumes au paprika (poivrons rouges, jaunes et verts, oignons, un peu de crème sure) et riz

Dans la soirée: crumble aux pommes. Pour ce faire, épluchez les pommes acidulées, coupez-les en tranches et placez-les dans un plat allant au four légèrement beurré. Arroser du jus d'un citron. A partir de 100 grammes de farine de blé entier, une poignée de flocons d'avoine, 80 grammes de cassonade et tout autant de beurre, une pincée de cannelle, pétrissez un mélange friable et saupoudrez-le autour des pommes, faites cuire au four à 200 degrés.

Entre les deux / collation

Fruit

Pâtisseries à grains entiers, comme le bretzel au sésame, sans crumble au sel

Smoothie aux légumes verts.

Jour 4

Matin: muesli et baies ou pommes de saison, flocons de sarrasin, lait d'avoine

Midi: Salade de pain italien. Pour ce faire, coupez la ciabatta en tranches, divisez-la en cubes de la taille d'une bouchée, frottez avec une gousse d'ail coupée et humidifiez un peu d'huile d'olive, grillez brièvement sur une plaque à pâtisserie au four, hachez les tomates, le concombre et les oignons pour le salade et mettre dans un grand bol. Préparez la vinaigrette à partir d'huile d'olive, de vinaigre balsamique et de nombreuses herbes fraîches au goût, mélangez avec les légumes. Laissez le pain refroidir brièvement, incorporez-le à la salade et dégustez.

Dans la soirée:soupe de légumes (minestrone). Préparez un bouillon de légumes à partir de légumes au goût - haricots, courgettes, carottes, fenouil, céleri - faites d'abord sauter les légumes dans l'huile d'olive, puis remplissez d'un peu d'eau. Assaisonner avec du laurier, du basilic et une pincée de sel (pas plus). Juste avant la cuisson, ajoutez une poignée de nouilles à soupe.

Entre les deux / collation

Fruit

Pâtisseries à grains entiers, comme le bretzel au sésame, sans crumble au sel

Smoothies aux baies rouges, rugueuses et de saison, eau

Jus de citron fraîchement pressé, dilué avec de l'eau du robinet

Jour 5.

Du matin: œufs brouillés de deux œufs, verser sur une tomate en dés, assaisonner avec des herbes fraîches, avec du pain complet

Déjeuner: risotto au radicchio. Pour ce faire, faire sauter le riz risotto dans l'huile d'olive, ajouter un oignon finement coupé et une gousse d'ail, faire revenir brièvement, verser un peu de bouillon de légumes et cuire à feu doux. Dans une autre casserole, faire revenir le radicchio tranché dans l'huile d'olive, ajouter un peu de sel, ajouter un filet de crème d'avoine et ajouter ce mélange de légumes au risotto, incorporer légèrement. Assaisonner de romarin frais.

Soir: Ragoût de légumes au four. Pour ce faire, mettez les légumes finement hachés de votre choix dans une cocotte allant au four avec un couvercle, tels que haricots, potiron, tomates, courgettes, poivrons, oignons, chou-rave. Ajouter une tasse d'eau, assaisonner avec un peu de sel mais de nombreuses herbes, si vous le souhaitez, un peu de piment, couvrir et cuire à 180 degrés pendant environ 30 minutes. Versez ensuite les flocons de ricotta sur la cocotte et dégustez avec la baguette de blé entier.

Entre les deux / collation

Fruit

Pâtisseries à grains entiers, comme le bretzel au sésame, sans crumble au sel

Smoothie vert.

Jour 6

Du matin: Muesli à base de millet, de fruits de saison et de lait de riz

Midi:Pâtes de saumon au citron et courgettes. Faire revenir le saumon et les courgettes dans un peu d'huile d'olive, ajouter un peu de crème sure, assaisonner avec du jus de citron et un peu de sel. Faites bouillir les pâtes et mélangez les deux, broyez le poivre dessus.

Dans la soirée: faire revenir les aubergines frites, les tranches d'aubergine et les tranches d'oignon dans un peu d'huile d'olive, parfumer au citron, ajouter les tomates cerises et les câpres au goût. Les baguettes de riz ou de grains entiers vont bien avec.

Entre les deux / collation

Fruit

Pâtisseries à grains entiers, comme le bretzel au sésame, sans crumble au sel

Smoothie aux légumes verts, par exemple laitue, pomme et eau avec romaine

Jus de citron fraîchement pressé, dilué avec de l'eau du robinet

7e jour

Du matin: pain de grains entiers avec fromage à la crème aux herbes

Déjeuner: Gnocchi de tomates. Faire des gnocchis à partir de 500 grammes de farine, faire bouillir les pommes de terre, presser un tamis ou une purée, pétrir avec 125 grammes de farine et œuf, assaisonner avec une pincée de sel et de muscade. Façonnez la pâte de pommes de terre en rouleaux, coupez de minuscules tranches, pressez une fourchette sur chaque morceau, mettez-la dans l'eau bouillante. Lorsque les gnocchis flottent, ils sont prêts. Arrosez simplement de beurre liquide et assaisonnez de sauge fraîche ou servez avec une simple sauce tomate (tomates fraîches, oignon, ail, pincée de sel, cuillère à café de miel). Les gnocchis sont excellents pour la congélation, il suffit donc de les doubler et de les conserver au congélateur.

Dans la soirée: asperges à la vinaigrette verte, asperges vertes ou blanches pelées, faire bouillir, égoutter, préparer la vinaigrette avec de l'huile d'olive, du vinaigre balsamique et des herbes fraîches au choix. Avec baguette complète.

Entre les deux / collation

fruit

Pâtisseries à grains entiers, comme le bretzel au sésame, sans crumble au sel

Smoothie rouge, avec betterave (cuite), pomme, eau

Jus de citron fraîchement pressé, dilué avec de l'eau du robinet

CHAPITRE TROIS
Recettes de régime rénal

Crème de haricots rouges

Ingrédients

- 200 g de haricots rouges (en conserve)
- 1/2 gousse (s) d'ail
- 1/2 pièce Piments
- Sel poivre

préparation

1. Pour la crème de haricots rouges, égouttez les haricots rouges et récupérez le liquide.
2. Presser la gousse d'ail et hacher finement le piment.
3. Réduisez le bohen en purée, en ajoutant éventuellement une partie du liquide recueilli. Incorporer l'ail et le piment au goût et assaisonner la crème de haricots rouges avec du sel et du poivre.

Goulash au haricots

Ingrédients

- 2 oignons
- 1 poivron
- 4 saucisses (Frankfurter ou Debreziner)
- Huile végétale
- Poudre de paprika (noble sucré)
- 1 cuillère à soupe de concentré de tomate
- Marjolaine (fraîche ou séchée)
- Carvi (moulu)
- 500 ml de soupe
- 250 g de haricots (blancs, en conserve)
- 250 g de haricots rouges (en conserve)
- 250 g de crème sure
- sel
- Poivre (du moulin)

préparation

1. Épluchez d'abord et hachez finement les oignons. Noyauz le paprika et coupez-le en cubes. Coupez les saucisses en tranches.

2. Faites chauffer l'huile dans une casserole et faites-y suer les oignons jusqu'à ce qu'ils soient translucides. Ajouter les poivrons et les saucisses. Saupoudrer de poudre de paprika. Ajoutez ensuite la pâte de tomate, la marjolaine et les graines de carvi.
3. Ajoutez la soupe. Ajouter les haricots et laisser mijoter environ 15 minutes.
4. Incorporer la crème sure et assaisonner le goulache de haricots avec du sel et du poivre.

Ragoût d'hiver

Ingrédients
- 1000 g fumé (prêt à cuire)
- 1 oignon
- 3 poivrons
- 2 bâtonnet (s) de poireau (coupé en fines rondelles)
- 5 carottes (nettoyées et coupées en petits morceaux)
- 1 tubercule (s) de fenouil (nettoyé et coupé en petits cubes)
- 50 g de haricots verts (nettoyés et coupés)
- 1/2 gousse d'ail (finement hachée)

- 400 g de tomates (coupées en dés)
- 2 cuillères à soupe Paradeismark
- 200 g de grains de maïs (de la boîte)
- 400 g de haricots rouges
- 120 g de flocons d'avoine
- 1000 ml de soupe aux légumes
- sel
- poivre
- huile

préparation

1. Épluchez les oignons et coupez-les en petits morceaux. Couper en deux et épépiner les poivrons et les couper en petits cubes avec les légumes restants.
2. Faites chauffer l'huile dans une grande casserole, faites-y revenir le paprika coupé en dés et les oignons. Ajouter les légumes restants, l'ail et la pulpe de tomate et rôtir également.
3. Enfin, ajoutez les tomates, les grains de maïs bien égouttés et les haricots. Dispersez les flocons d'avoine sur le dessus et versez la soupe sur le dessus.
4. Remuez bien et laissez le ragoût mijoter un peu.
5. Coupez la viande fumée en petits morceaux, ajoutez-la et laissez mijoter jusqu'à ce qu'elle soit chaude.
6. Assaisonner au goût avec du sel et du poivre et porter à nouveau le ragoût à ébullition.

Chili con carne avec viande hachée

Ingrédients

- 125 g de bœuf haché
- 125 g de viande hachée (de porc)
- 3 cuillères à soupe de concentré de tomates
- 2 cuillères à soupe de moutarde
- 250 ml de soupe de bœuf
- 500 ml de tomates (filtrées)
- 1 boîte (s) de maïs
- 5 tomates (de taille moyenne, blanchies et tranchées ou en conserve)
- 1 boîte (s) de haricots (blancs)
- 1 boîte (s) de haricots rouges
- 2 poivrons (tranchés)
- sel
- poivre
- Origan
- 1 cuillère à café de cumin (cumin)
- 1 dosette (s) de piment (petit)

préparation

1. Mélangez d'abord la viande hachée.

2. Laisser chauffer une grande poêle profonde, verser l'huile d'olive et y faire revenir la viande hachée jusqu'à ce qu'elle devienne agréable et friable.
3. Maintenant, faites griller brièvement la pâte de tomate et la moutarde, ajoutez la soupe et laissez tout bouillir.
4. Ajouter le maïs, les tomates, les poivrons et les haricots et laisser mijoter jusqu'à ce que les poivrons soient tendres.
5. Avant de servir, assaisonner le chili con carne avec le chili et les épices restantes au goût.

Chilli con carne light

Ingrédients

- 2 cuillères à soupe d'huile d'olive
- 1 oignon (finement haché)
- 3 gousse (s) d'ail (finement hachée)
- 250 g de bœuf haché (maigre)
- sel
- 2 cuillères à soupe de sauce soja
- 1 cuillère à café de poudre de paprika (noble sucré)

- 1 cuillère à café d'origan
- 1 cuillère à café de coriandre (moulue)
- 1/2 cuillère à café de cumin (moulu)
- 1 dosette (s) de piment
- 1 boîte (s) de tomates (petites, coupées en dés)
- 600 ml de soupe aux légumes
- 1 boîte (s) de haricots rouges (gros, égouttés)

préparation

1. Pour l'huile de chili con carne, faites-la chauffer dans une casserole enduite. Faites cuire les oignons à la vapeur jusqu'à ce qu'ils soient tendres, puis faites-les revenir jusqu'à ce qu'ils soient dorés en remuant.
2. Incorporer l'ail et la viande hachée, saler légèrement, faire revenir brièvement en remuant. Ajouter la sauce soja, le paprika en poudre, l'origan, la coriandre, le cumin et le piment, faire revenir brièvement en remuant.
3. Incorporer les tomates et laisser mijoter environ 8 minutes. Incorporer la soupe aux légumes, porter à ébullition et laisser mijoter doucement pendant 6 minutes. Ajoutez les haricots et mélangez bien le tout. Laisser mijoter le chili con carne light encore 6 minutes, incorporer un peu de soupe aux légumes si nécessaire. Assaisonner au goût avec du sel et du piment.

Ragoût de boeuf aux haricots

Ingrédients

- 250 g de filet de bœuf
- 3 pièces. Oignons
- 1 cuillère à café d'huile de colza
- 1 cuillère à soupe de concentré de tomate
- 1 cuillère à café de poudre de paprika
- 300 ml de bouillon de légumes
- Piment, sel, poivre
- 1 carotte
- 50 g de paprika (rouge)
- 50 g de maïs végétal (boîte)
- 200 g de haricots rouges (boîte)

préparation

1. Pour le ragoût de bœuf aux haricots, coupez le filet de bœuf en gros morceaux.
2. Hachez finement les oignons pelés.
3. Faites frire la viande dans l'huile chaude des deux côtés, ajoutez les oignons et rôtissez.
4. Ajouter la pâte de tomate et le paprika et verser le bouillon de légumes, assaisonner et laisser mijoter à feu doux pendant environ 20 minutes.

5. Couper la carotte en tranches, le poivre en cubes.
6. Ajouter à la viande avec le maïs et les haricots égouttés et laisser mijoter encore 10 minutes.

Foie de génisse et sa compote d'oignon

Ingrédient
- 1 tranche de foie de génisse bio
- 2 petits oignons
- 1 pomme Canada
- cuillère à soupe d'huile d'olive
- 1 citron
- 1 tranche de cannelle
- Sel poivre

Préparation
1. Épluchez et émincez les oignons. Faites-les revenir dans la moitié de l'huile d'olive jusqu'à ce qu'ils deviennent translucides. Salez et poivrez-les. Couvrir et cuire à feu très doux pendant 30 minutes. Surveillez la cuisson, ajoutez un peu d'eau si nécessaire.
2. Lavez le citron sous l'eau courante, essuyez-le et pressez-le.
3. Lavez la pomme, épluchez-la et retirez le noyau fibreux et les graines. Coupez-le en cubes. Citron pour

éviter le noircissement. Placer dans une petite casserole avec de la cannelle et 2 cuillères à soupe d'eau. Cuire à couvert à feu doux pendant 20 minutes. En fin de cuisson, écrasez-le dans la compote grossière.

4. Couper le foie en lanières et cuire 2 à 3 minutes dans la poêle avec le reste de l'huile d'olive. Une fois cuit, mélangez-le avec la compote d'oignon.

5. Dégustez-le immédiatement, accompagné de la compote de pommes.

Palette de porc et ses légumes

Ingrédients

- 1 palette de porc avec os de 1 kilo
- 100 g de bacon fumé en dés
- 1/4 de chou vert
- 300 g de carottes
- 200 g de navets
- 400 g de pommes de terre à chair ferme type BF 15
- 2 oignons
- 2 clous de girofle
- 1 bouquet garni

- 1 tablette de bouillon de légumes bio
- Sel poivre

les directions

1. Placer le bacon dans une sauteuse et faire revenir à feu moyen en remuant. Ajouter la palette et utiliser la graisse fondue pour faire dorer la viande, environ 5 minutes de chaque côté. Ajouter un oignon pelé et haché, également brun. Ajouter 1/2 litre d'eau, le bouquet garni, le deuxième oignon collé aux clous de girofle et le bouillon émietté.

2. Lavez le morceau de chou, retirez les feuilles extérieures trop durement et son noyau. Trempez-le dans une casserole d'eau bouillante salée et laissez-le blanchir pendant 10 minutes. Égouttez-le et coupez-le en lanières. Ajoutez-le à la sauteuse avec la palette, salez et poivrez, continuez la cuisson pendant 15 minutes.

3. Lavez et épluchez les carottes, les navets et les pommes de terre. Coupez-les en tranches. Ajoutez les carottes et les navets dans la poêle, salez et poivrez. Poursuivez la cuisson pendant 10 minutes. Ajouter les pommes de terre et terminer la cuisson 20 minutes. Rectifier l'assaisonnement, retirer le bouquet garni et l'oignon piqué de girofle.

Salade de haricots à décortiquer

Ingrédients

- 150 g de haricots à décortiquer
- 30 g de pâtes, type farfalle
- 150 g de haricots verts frais
- 200 g de tomates
- 1 carotte
- 1 bouquet garni
- 4 cuillères à soupe d'huile d'olive
- 2 cuillères à soupe de vinaigre balsamique
- 1/2 cuillère à café de moutarde
- 1 échalote
- 2 cuillères à café de persil haché
- 1 cuillère à café de basilic haché
- Sel poivre

les directions

1. Décortiquez les haricots. Placez-les dans une grande casserole et couvrez-les complètement d'eau froide. Ajoutez le bouquet garni, couvrez la casserole. Laisser mijoter 35 minutes.
2. Lavez les haricots verts et épongez-les. Couper en deux, saler et cuire à la vapeur pendant 15 minutes.

3. Faites cuire les pâtes selon l'heure indiquée sur l'emballage.
4. Épluchez et hachez l'échalote.
5. Préparez la vinaigrette avec de l'huile, du vinaigre, de la moutarde, du sel et du poivre. Ajoutez l'échalote.
6. Lavez les tomates et les carottes sous l'eau courante. Épluchez et râpez la carotte, coupez les tomates en quartiers.
7. Dans un saladier, mélanger les haricots à décortiquer et les pâtes égouttées, les haricots verts, les tomates, la carotte et les herbes. Ajoutez la vinaigrette et mélangez doucement. Corrigez l'assaisonnement si nécessaire.

Tartelettes aux framboises sans gluten

Ingrédients

- 100 g de farine de riz
- 30 g de poudre d'amande
- 30 g de beurre ou de margarine riche en oméga 3 non allégé
- 90 g de sucre
- 2 oeufs
- 20 g de bleuet

- 25 cl de lait demi-écrémé
- 1 gousse de vanille
- 500 g de framboises
- 1 cuillère à soupe de sucre glace

les directions

1. Faites chauffer le lait jusqu'à ébullition. Coupez le feu. Fendre la gousse de vanille en deux et la laisser infuser dans le lait.

2. Mélangez la farine de riz avec la poudre d'amande et 60 g de sucre. Ajouter le beurre fondu et travailler la pâte à la fourchette jusqu'à obtenir une texture sableuse. Mélanger la pâte avec 1 œuf battu et réfrigérer au moins 30 minutes.

3. Séparez le blanc et le jaune de l'œuf restant. Fouettez le jaune avec 30 g de sucre. Ajouter le bleuet, puis le lait, préalablement filtré, très progressivement. Cuire cette crème à feu doux, en remuant constamment jusqu'à épaississement (environ 3 minutes).

4. Préchauffer le four à 180 ° C. Répartir la pâte à tarte et la répartir dans quatre moules à tarte légèrement graissés. Couvrir chaque tarte de papier sulfurisé et de légumes secs - Cuire les tartes pendant 25 minutes.

5. Lavez les framboises sous un jet d'eau courante. Épongez-les soigneusement et retirez leurs pédoncules.

6. Attendre que les tartelettes soient froides pour garnir de crème pâtissière et de framboises. Saupoudrer de sucre glace.

Quiche à la ratatouille

Ingrédients

- 250g de farine
- 125 g de beurre ou de margarine riche en oméga 3 non allégé
- 2 courgettes
- 1 aubergine
- 3 tomates
- 1 poivron jaune
- 1 oignon
- 2 cuillères à soupe d'huile d'olive
- 1 bouquet garni
- 4 œufs
- 100 g d'Emmental râpé
- Sel poivre

les directions

1. Dans un petit saladier, mélangez la farine et le beurre jusqu'à obtenir une texture de sable. Ajoutez un peu d'eau salée pour mélanger la boule de pâte. Laisser reposer au réfrigérateur pendant au moins 30 minutes.

2. Épluchez et émincez l'oignon. Lavez les légumes. Épluchez les courgettes et coupez-les en tranches.

Coupez l'aubergine en cubes. Retirer le pédoncule, les graines et les parties fibreuses blanchâtres du poivre, coupées en lanières.

3. Faites revenir l'oignon avec l'huile d'olive dans une poêle. Ajouter le poivron, les courgettes et l'aubergine, faire revenir en remuant. Ajouter les tomates, le bouquet garni, le sel et le poivre. Couverture; laisser mijoter à feu doux pendant 20 à 30 minutes. En fin de cuisson, découvrez laisser évaporer l'eau de constitution de légumes.

4. Préchauffez le four à 200-210 ° C. Etalez la pâte et placez-la dans un plat à tarte. Couvrir de papier sulfurisé et de légumes secs - Cuire 20 minutes.

5. Mélangez la ratatouille bien réduite avec les œufs et l'emmental. Versez ce mélange sur le fond de tarte, sans papier sulfurisé. Terminez la cuisson au four pendant 15 minutes.

Yaourts maison avec autocuiseur

Ingrédients
- 90cl de lait UHT demi-écrémé

- 1 pot de yogourt nature avec du lait entier du commerce
- 4 cuillères à soupe de lait écrémé en poudre
- 1 orange biologique
- 1 thermomètre de cuisson

les directions

1. Lavez l'orange sous l'eau courante, épongez-la avec du papier absorbant et récupérez son zeste.
2. Placer le lait et le zeste d'orange dans une casserole, porter à ébullition. Ensuite, éteignez le feu et laissez infuser le zeste jusqu'à ce que la température du lait descende à 45 ° C (vérifiez avec le thermomètre).
3. Pendant ce temps, remplissez l'autocuiseur d'eau pendant un tiers. Fermez le couvercle et mettez-le sur le feu. Laisser quelques minutes sous pression. Ensuite, coupez le feu et laissez la vapeur s'échapper.
4. Passer le lait au tamis pour retirer le zeste d'orange. Fouettez-le avec du yogourt et du lait en poudre. Répartir dans 8 pots de yaourt en verre.
5. Jetez l'eau bouillante de l'autocuiseur. Placez les casseroles dans la casserole et enfermez-les immédiatement dans la casserole encore très chaude. Laisser fermenter à température ambiante pendant 4 à 5 heures. Placez ensuite le yaourt au réfrigérateur.

Poire et noix

Ingrédients

- 1 belle poire
- 80 g de beurre
- 1/2 cuillère à café d'extrait de vanille
- 2 oeufs
- 100 g de sucre
- 50 g de farine de châtaigne
- 50 g de farine de blé type 55
- 1/2 sachet de levure
- 80 g de cacao en poudre non sucré
- 14 noix
- 2 cuillères à café de sucre glace

les directions

1. Préchauffer le four à 180 - 200 ° C. Graisser légèrement un moule antiadhésif avec une brosse huilée.

2. Lavez la poire, épluchez-la, retirez sa partie centrale et ses graines, coupez-la en gros quartiers. Mettez-le dans la casserole avec 20 g de beurre et de vanille. Retirez-le du feu dès qu'il

commence à caraméliser. Disposez-le au fond du moule.

3. Noix de Schell.

4. Séparez les blancs des jaunes d'œufs. Battez les blancs d'œufs avec une pincée de sel.

5. Mélangez les jaunes d'œufs avec le sucre. Ajoutez les 60 g de beurre restants. Ajouter progressivement les deux farines avec la levure, puis le cacao en poudre et enfin 12 noix. Incorporez soigneusement les blancs dans la neige.

6. Versez le mélange dans la casserole sur la poire et faites cuire 25 minutes à 180 ° C. Vérifiez la cuisson avec la pointe d'un couteau (la pâte ne colle pas lorsque le gâteau est cuit).

7. Démontez la livre. Saupoudrer de sucre glace et décorer avec les 2 noix restantes

Mousse à la noix de coco et à l'ananas

Ingrédients

*   3 oeufs
*   37,5 cl de lait de coco

- 60 g de sucre
- 1/4 à 1/3 d'ananas (200 g net)
- 5 demi-feuilles de gélatine
- 1 pincée de sel

les directions

1. Séparez les jaunes et les blancs d'œufs.
2. Faites tremper la gélatine dans un bol d'eau froide.
3. Fouettez les jaunes d'œufs avec le sucre. Ajoutez progressivement le lait de coco. Mettez le tout dans une casserole et faites cuire à feu doux en remuant constamment jusqu'à ce que la crème soit nappée.
4. Égouttez soigneusement la gélatine et ajoutez-la à la crème de coco. Fouettez et dès que la gélatine est dissoute, retirez la casserole du feu. Laisser refroidir 1 heure au réfrigérateur.
5. Épluchez l'ananas: retirez sa peau. C'est la partie centrale dure et ses «yeux». Assurez-vous d'avoir 200 g de chair que vous coupez en petits cubes.
6. Ajouter une pincée de sel aux blancs d'œufs et battre fermement dans la neige. Mélangez-les doucement avec la crème de coco. Ajoutez les dés d'ananas. Répartir la mousse dans 4 ramequins et mettre au moins 2 heures au réfrigérateur avant de la consommer.

Pain de merlan au sésame

Ingrédient

- 400 g de filets de merlan
- 4 cuillères à soupe d'huile de sésame
- 1 citron
- 1 cuillère à soupe de sauce soja
- 1 gousse d'ail
- 2 cuillères à soupe de citronnelle émincée
- 1 petit morceau de gingembre 1 cm
- 4 cuillères à soupe de graines de sésame
- 2 oeufs
- Sel poivre

les directions

1. Lavez le citron sous l'eau courante, épongez-le, pressez-le. Peler et trancher la gousse d'ail. Passez le gingembre sous l'eau, épongez-le, râpez-le.
2. Préparez une marinade avec 2 cuillères à soupe d'huile de sésame, du jus de citron, de la sauce soja, de la citronnelle, de l'ail, du gingembre et un peu de poivre. Disposez les filets de merlan dans la marinade et réservez-les au réfrigérateur pendant 2 heures.
3. Ensuite, égouttez très soigneusement les filets de poisson. Faites-les cuire 5 minutes à la vapeur.

4. Séparez les blancs d'œufs des jaunes. Étalez chaque filet de merlan dans le jaune d'oeuf puis dans les graines de sésame pour former une chapelure. Salez légèrement. Passez rapidement les filets de poisson panés dans une poêle antiadhésive avec les 2 cuillères d'huile restantes. Dès que les graines de sésame sont bien dorées, arrêtez la cuisson. Profitez-en immédiatement.

Tortilla à la mexicaine

Ingrédients
- 400 g de pommes de terre (cireuses)
- 6 oeufs
- 1 poivron (rouge)
- 120 g de maïs doux (cuit)
- 100 g de haricots rouges (cuits)
- 1 dosette (s) de piment (rouge)
- sel
- poivre

- Huile d'olive (extra vierge)

préparation

1. Pour la tortilla mexicaine, épluchez les pommes de terre, coupez-les en fines tranches et faites-les frire dans l'huile d'olive. Mettre de côté.

2. Coupez les poivrons rouges en petits cubes et faites-les revenir dans l'huile d'olive. Fouettez les œufs, ajoutez les tranches de pommes de terre frites, le paprika, le maïs et les haricots. Noyau et hachez finement le piment. Assaisonner le mélange de tortilla avec du piment, du sel et du poivre.

3. Chauffer l'huile d'olive dans une petite casserole et verser la moitié du mélange. Faire frire environ 5 minutes à feu moyen. Ensuite, couvrez d'une assiette et retournez la casserole pour que la tortilla se pose sur l'assiette avec le côté frit vers le haut.

4. Glissez à nouveau le côté non grillé dans la poêle et faites-le cuire jusqu'à ce qu'il soit doré. Le mélange doit faire 2 tortillas moyennement épaisses.

5. Retirer de la poêle et laisser refroidir un peu. La tortilla à la mexicaine est ensuite coupée en quartiers ou en huit et servir.

Salade de hareng

Ingrédients

- 1 verre de Russes
- 1 boîte (s) de haricots rouges (400 g)
- 300 g de pommes de terre (cireuses)
- 2 pommes (de taille moyenne)
- 4 cuillères à soupe d'huile
- 250 ml de crème sure
- 3 cuillères à soupe de mayonnaise
- 3-4 morceaux de cornichons
- sel
- poivre

Préparation

1. Pour la salade de hareng, filtrez les Russes, rincez à l'eau froide et coupez-les en morceaux. Mettez les rondelles d'oignon mariné d'un côté.
2. Faire bouillir les pommes de terre, les éplucher et les couper en petits morceaux. Filtrez les haricots, rincez-les brièvement à l'eau froide et laissez-les égoutter.
3. Épluchez les pommes et coupez-les en petits morceaux. Coupez également le concombre en petits

morceaux. Mélangez bien les Russes, les pommes de terre, les pommes, les haricots et le concombre.

4. Ajoutez les rondelles d'oignon. Mélanger la crème sure avec la mayonnaise et l'huile, assaisonner de sel et de poivre et bien mélanger avec le reste des ingrédients.

5. Laisser tremper la salade de hareng au réfrigérateur pendant 2 heures.

Goulasch à la patate douce

Ingrédients
- 200 g d'oignon
- Huile d'olive (pour rôtir)
- 2 bout (s) d'ail
- 20 g de paprika en poudre (15 g noble sucré + 5 g chaud)
- 1 trait de vinaigre de cidre de pomme
- 3/4 l de soupe aux légumes
- 400 g de patate douce
- 400 g de pommes de terre
- 1/2 cuillère à café de graines de carvi (moulues)
- 1-2 feuilles de laurier
- 1 cuillère à soupe de marjolaine (finement écrasée)

- 326 g de haricots rouges (en conserve)

Préparation

1. Pour le goulash de patate douce, hachez finement l'oignon et l'ail. Râpez finement une pomme de terre, coupez les autres pommes de terre et les patates douces en dés.

2. Rôtir les oignons dans l'huile d'olive jusqu'à ce qu'ils soient brun clair, faire griller brièvement l'ail et les deux poudres de paprika, déglacer avec un filet de vinaigre de cidre de pomme et verser la soupe de légumes sur le dessus.

3. Ajouter les patates douces, les pommes de terre et les épices et laisser mijoter 15 minutes. Ajouter les haricots et porter à nouveau à ébullition.

4. Assaisonner avec du sel et servir. Si vous le souhaitez, vous pouvez manger du pain avec du goulache de patate douce.

Chili végétarien

Ingrédients

- 1 oignon
- 1 gousse (s) d'ail
- un peu d'huile
- 4 tomates

- 1 pc. Paprika (rouge)
- 1 branche (s) de céleri
- 4 cuillères à soupe de haricots rouges
- 1 cuillère à soupe de piment
- 50 g de maïs
- Graine de carvi
- sel
- Poivre (du moulin)
- 1 cuillère à soupe de coriandre
- 1 cuillère à café de cannelle

préparation

1. Pour un zeste de piment végétarien, coupez l'oignon en dés. Peler et presser l'ail. Faites chauffer l'huile dans une casserole et faites revenir l'oignon et l'ail.
2. Coupez les tomates, le céleri et les poivrons en dés et ajoutez-les avec les haricots, le piment et le maïs. Assaisonner avec les graines de carvi, le sel, le poivre, la coriandre et la cannelle.
3. Laisser mijoter 40 minutes en remuant de temps en temps. Servir le piment végétarien avec du pain frais.

CHAPITRE QUATRE
Recettes de petit-déjeuner

Confiture de papaye et canneberge

Ingrédients

- La pulpe d'une papaye mûre 700 grammes
- Jus de citron 4 cuillères à soupe
- Canneberges / Canneberges 100 grammes
- Conservation du sucre 1: 1 1000 grammes

préparation

1. Avec de l'eau chaude, lavez les papayes, frottez-les et épluchez-les. Ensuite, coupez-le en deux avec une cuillère à café et grattez les graines. Avec le jus de citron, réduire la pulpe en purée. Les canneberges sont lavées et triées, mises dans une grande casserole et légèrement écrasées à la fourchette. Ajouter la purée de fruits de papaye et 1: 1 du sucre gélifiant et bien mélanger.

2. Tout en remuant, porter à ébullition à feu vif jusqu'à ce que tous les aliments bouillonnent vigoureusement. Maintenant, le temps de la cuisine

commence! Laisser mijoter 4 minutes en remuant constamment.

3. Retirez la casserole du feu. Remplissez rapidement la masse chaude avec des bocaux rincés à l'eau chaude jusqu'au bord et fermez immédiatement avec le bouchon à vis.

Bircher muesli à la papaye

Ingrédients:
- 80 g de flocons d'avoine croustillants
- 1 cuillère à soupe de raisins secs
- ¼ l (1,5% de matière grasse) de lait
- alternativement: ¼ l d'eau
- 1 petite papaye (environ 300 g)
- 1 pomme
- 150 g (1,5% de matières grasses) de yogourt nature
- 2 cuillères à café de jus de citron
- 1 cuillère à soupe de noix de pécan
- 1 cuillère à soupe de chips de pomme séchées

Préparation
1. Mélanger les flocons d'avoine et les raisins secs dans un bol avec le lait (en cas de calculs rénaux, avec de l'eau) la veille et laisser tremper au réfrigérateur

pendant environ 12 heures, de préférence toute la nuit.

2. Le lendemain, coupez la papaye en deux, retirez le cœur, épluchez et coupez la pulpe en cubes de 1 à 2 cm. Lavez la pomme et râpez-la finement autour du cœur sur une râpe à légumes. Incorporer la pomme râpée et la moitié des cubes de papaye avec le yogourt dans le mélange de gruau. Enfin, ajoutez le jus de citron au goût.

3. Étalez le mélange de muesli dans des bols. Hachez grossièrement les pacanes (omettez s'il y a des calculs rénaux) et saupoudrez avec le reste de la papaye. Servir garni de chips de pomme.

Casserole de riz mexicaine

Ingrédients

- 1 tasse (s) de riz
- 200 g de champignons
- 1 oignon (finement haché)
- 1 boîte (s) de haricots rouges (200 g de garniture, égouttés)
- 1 boîte (s) de maïs (égoutté)
- 1 poivron rouge

- 2 cuillères à soupe de concentré de tomates (double concentré)
- 1/2 cuillère à café de poudre de paprika (noble sucré)
- 500 ml de soupe aux légumes
- Un peu de sel
- un peu d'huile
- du Tabasco (au goût)

préparation

1. Pour la poêle à riz mexicaine, faire revenir l'oignon dans l'huile dans une casserole. Retirez les poivrons du cœur et coupez-les en petits morceaux. Coupez également les champignons en petits morceaux et ajoutez les deux ingrédients dans la casserole et faites également revenir un peu.

2. Ajouter le riz (non cuit), la poudre de paprika et la pâte de tomate et faire rôtir un peu. Déglacer le tout avec la soupe et porter à ébullition.

3. Couvrir le tout et cuire environ 20 minutes, jusqu'à ce que le liquide bout et que le riz soit bien cuit. Juste avant la fin de la cuisson, ajoutez les haricots et le riz. Remuez de temps en temps pour que le riz ne colle pas au fond. Le plat de riz mexicain et assaisonner avec du Tabasco.

Salade de pâtes aux haricots

Ingrédients

- 500 g de pâtes (au choix)
- 4 cuillères à soupe de mayonnaise à salade
- 200 g de yaourt (nature)
- 400 g de haricots rouges (en conserve)
- 1 oignon (moyen)
- 4 gousses d'ail
- sel
- Poivre (moulu)

préparation

1. Pour la salade de pâtes aux haricots, cuire les pâtes dans de l'eau salée avec un filet d'huile jusqu'à ce qu'elles soient tendres, rincer à l'eau froide et laisser refroidir.
2. Coupez l'oignon en petites rondelles et ajoutez-le aux pâtes.
3. Versez les haricots rouges en conserve dans une passoire, lavez à l'eau claire et ajoutez-les aux nouilles.
4. Mélangez la mayonnaise avec le yogourt pour la sauce. Presser les gousses d'ail et ajouter. Assaisonner de sel et de poivre et bien mélanger. Faites mariner les pâtes

avec la sauce et laissez infuser la salade de nouilles aux haricots.

Steak mexicain aux légumes haricots

Ingrédients

- 1 boîte (s) de haricots (blancs)
- 1 boîte (s) de haricots rouges
- 1 boîte (s) de Kukuruz (poids égoutté 125 g)
- 3 oignons nouveaux
- 3 steaks de porc (petits, 150 g chacun)
- 3 cuillères à soupe d'huile de maïs
- 1 sachet de soupe aux tomates (poudre)
- poivre de Cayenne

préparation

1. Égouttez les haricots blancs et les haricots rouges avec le kukuruz sur une passoire. Nettoyer les oignons de printemps rincer et couper en lanières.
2. Rôtir les steaks dans l'huile de maïs chaude sur 2 ou 9-10 plaques de cuisson automatiques pendant 2 minutes de chaque côté jusqu'à ce qu'elles soient dorées.
3. Sortez et gardez au chaud.
4. Mettre les oignons nouveaux et les poivrons dans le reste de la graisse de friture et faire revenir 3 minutes

sur 2 ou 8-9 plaques de cuisson automatiques, remplir de 400 ml d'eau et laisser bouillir. Incorporer la soupe en poudre et remuer pendant environ 1 minute sur la plaque chauffante 1 1/2 ou automatique 5-6. Ajouter les haricots et le kukuruz et chauffer. Assaisonnez le plat de poivre de Cayenne. Apportez les légumes mexicains à table avec les steaks.

Salade de brocoli et lentilles au maquereau

Ingrédients:

- 300 g de brocoli
- 1 petit oignon
- 4 cuillères à soupe de jus d'orange
- 2 cuillères à soupe de vinaigre de vin blanc
- 2 cuillères à soupe d'huile d'olive
- sel

du moulin: poivre

- 1 cuillère à café (du pot) de raifort râpé
- 1 boîte (240 g poids égoutté) de lentilles
- 125 g de tomates cocktail
- 4 tiges de basilic
- 2 filets de maquereau fumé (env.150 g, avec peau)

préparation

1. Lavez et coupez le brocoli en fleurettes, épluchez les tiges et coupez-les en petits cubes. Épluchez l'oignon et coupez-le en petits cubes.
2. Dans une petite casserole, porter à ébullition les cubes d'oignon avec le jus d'orange, le vinaigre et l'huile d'olive. Ajouter le brocoli et cuire à couvert à feu moyen pendant environ 3 minutes. Retirer du feu et assaisonner avec du sel, du poivre et du raifort.
3. Rincez les lentilles dans une passoire et laissez-les bien égoutter. Lavez et coupez les tomates en deux. Mélangez doucement les lentilles et les tomates dans le brocoli.
4. Lavez le basilic, séchez-le et cueillez les feuilles. Épluchez les filets de maquereau et coupez-les en petits morceaux. Couvrir la salade avec les morceaux de maquereau, saupoudrer de basilic et assaisonner de poivre.

Gratin de riz au brocoli all'italiana

Ingrédients:

- 125 g (10 minutes) de riz brun
- sel
- 300 g de fleurettes de brocoli
- 200 g de tomates filtrées (en conserve)
- sel
- du moulin: poivre
- 1 cuillère à café d'herbes italiennes séchées
- 1 cuillère à café (variété noble douce) de poudre de paprika
- 100 g de tomates cocktail
- 125 g (8,5% de matière grasse) de petites boules de mozzarella
- 2 cuillères à soupe de pignons de pin
- quelques feuilles de basilic

Préparation

1. Selon les instructions sur l'emballage, faites cuire le riz avec beaucoup d'eau salée. Pendant ce temps, nettoyez les fleurons de brocoli, lavez-les et coupez-les en petits morceaux. Ajouter le brocoli au riz environ 5 minutes avant la fin de la cuisson, porter à

nouveau le tout à ébullition et cuire simultanément le brocoli.

2. Préchauffer le four à 220 ° C. Graisser un plat de cuisson (20 x 30 cm environ) avec de l'huile. Égoutter dans une passoire avec le riz et le brocoli et égoutter. Utilisez du sel, du poivre, des herbes italiennes et de la poudre de paprika pour assaisonner les tomates. Mélanger et dissoudre dans le plat de cuisson avec le mélange de riz au brocoli.

3. Lavez et coupez les tomates cerises en deux. Coupez également les boules de mozzarella en deux. Mélanger les tomates et la mozzarella, saupoudrer de pignons de pin et étaler sur le mélange brocoli-riz. Sur la grille du milieu, faites cuire le gratin au four environ 10 minutes. Pour servir, saupoudrer de feuilles de basilic.

Salade de haricots colorés

Ingrédients:

- 200 g de haricots verts
- 1 oignon
- 1 poivron
- 1 petite boîte (poids égoutté 250 g) de haricots blancs
- 1 petite boîte (poids égoutté 250 g) de haricots rouges

- 2 cuillères à soupe de vinaigre de vin
- 2 cuillères à soupe de crème sure
- 1/2 cuillère à café de moutarde
- 1/2 cuillère à café de ketchup aux tomates
- 1/2 cuillère à café de raifort
- sel
- poivre
- 1 cuillère à soupe d'huile
- thym haché

Préparation

1. Nettoyez et lavez les haricots verts et faites cuire dans de l'eau bouillante salée pendant 6 à 8 minutes jusqu'à ce qu'ils soient fermes sous la dent. Verser dans une passoire, rincer à l'eau froide et bien égoutter. Transférer dans un grand bol.

2. Épluchez l'oignon et coupez-le en fines rondelles. Couper en deux et épépiner les poivrons dans le sens de la longueur, laver et couper en cubes. Égoutter les haricots rouges et les haricots blancs chacun dans une passoire, rincer à l'eau froide et bien égoutter. Ajoutez ensuite l'oignon, le poivron, les haricots rouges et les haricots blancs aux haricots verts.

3. Pour la vinaigrette, mélanger le vinaigre, la crème sure, la moutarde, le ketchup aux tomates, le raifort, l'huile et le thym, assaisonner de sel et de poivre. Mélanger avec les ingrédients de la salade et laisser infuser la salade de haricots pendant environ 5 minutes avant de servir.

Salade de fenouil et orange

Ingrédients:

- 1 petite banane mûre
- 200 g de crème
- 2 cuillères à soupe d'huile de noix
- 1-2 cuillères à café (du pot) de raifort
- alternativement: raifort fraîchement râpé
- au goût: estragon
- sel
- du moulin: poivre noir
- 2 petits bulbes de fenouil
- 2 petites pommes
- 2 oranges
- du jus de citron fraîchement pressé
- 10 moitiés de noix

préparation

1. Écraser la banane à la fourchette et mélanger avec la crème, l'huile, le raifort et éventuellement un peu d'estragon pour faire une vinaigrette. Ajoutez du sel et du poivre au goût.

2. laver le fenouil et le couper en très fines lanières. Lavez les pommes, retirez le cœur et coupez-les très finement (ne pas les peler). Arrosez le fenouil et les

pommes d'un peu de jus de citron fraîchement pressé et ajoutez-les à la sauce.

3. Épluchez les oranges, découpez les filets individuels et ajoutez-les à la sauce avec les noix grossièrement hachées. Mélangez le tout et servez frais.

Salade d'œufs fruitée

Ingrédient:

- 8 oeufs
- 4 cuillères à soupe (4,8% de matières grasses) de mayonnaise
- 6 cuillères à soupe de yogourt (1,5% de matières grasses)
- 2 cuillères à soupe de vinaigre de vin blanc
- 2 cuillères à café de curry
- si vous aimez: le poivre de Cayenne
- sel et poivre

- 2 pommes acidulées
- 2 cuillères à soupe de persil frais
- 1 oignon rouge
- 4 cornichons
- 2 cuillères à soupe de graines de tournesol

préparation

1. Faites bouillir les œufs durs pendant 8 minutes. Puis rincez à l'eau froide et laissez refroidir. En attendant, pour la vinaigrette, mélangez la mayonnaise dans un bol avec le yaourt, le vinaigre, le curry, le poivre de Cayenne, le sel et le poivre si vous le souhaitez.

2. Lavez soigneusement les pommes ou (si elles ne sont pas biologiques) épluchez-les, évidez-les et coupez-les en cubes de taille moyenne. Lavez et hachez finement le persil. Épluchez l'oignon et coupez-le en fines rondelles. Coupez les concombres marinés en petits cubes. Épluchez les œufs refroidis et coupez-les en cubes.

3. Mélanger la pomme, le persil, l'oignon, le concombre et les œufs dans un grand bol et incorporer la vinaigrette à la mayonnaise. Servir la salade aux œufs saupoudrée de graines de tournesol. Une tranche de pain complet a bon goût avec elle.

Aubergines grillées à l'ail et aux herbes

Ingrédients:

- 2 aubergines
- 1 cuillère à café de sel
- ½ tasse d'huile d'olive extra vierge
- 3 gousses d'ail râpées
- 2 cuillères à soupe de persil frais haché
- 2 cuillères à soupe d'origan frais
- ½ cuillère à café de poivre noir
- ½ cuillère à café supplémentaire de sel

les directions

1. Coupez les aubergines en tranches de 5 mm et salez généreusement chacune d'elles. Laisser reposer 15 minutes pour que le sel extrait l'humidité et l'amertume de l'aubergine. Nettoyez chaque tranche avec une serviette en papier pour éliminer l'excès d'humidité et de sel.
2. Préchauffez le gril à feu moyen.
3. Dans une grande assiette, mélanger l'huile d'olive, l'ail, le persil, l'origan, le poivre et le sel. Passez chaque tranche d'aubergine dans le mélange pour qu'elle soit recouverte d'huile.

4. Rôtir environ 6 minutes de chaque côté jusqu'à ce qu'il soit doré et avec des marques de gril. S'ils se dessèchent, brossez-les avec plus d'huile.
5. Servir avec un filet d'huile végétale restante.

Salade de poulet et poire

Ingrédients

- Scarole, canons ou cresson
- Poulet grillé
- Poire
- Pistaches
- oignon doux (rondelles)
- Poivre rose
- Sel rose
- Huile d'olive extra vierge 3 cuillères à soupe
- 1 cuillère à café de moutarde de Dijon en grains
- 1 cuillère à café de miel

Instructions

1. Nettoyez et coupez la délicieuse scarole ou tout autre légume à feuilles vertes comme les canons, le cresson auquel vous ajoutez quelques morceaux de poire coupés en segments ou en carrés.
2. Ajouter les pistaches hachées.

3. Vous pouvez utiliser tout autre fruit séché que vous aimez plus ou que vous avez dans le garde-manger: pignons de pin, pacanes, amandes.
4. Épluchez et hachez l'oignon, ce qui lui donne toujours un point épicé.
5. Et si vous osez avec le mélange de vinaigrette, une cuillère à café de moutarde de Dijon en grains, une cuillère à café de miel, huile d'olive extra vierge, jus de citron vert et sel, et poivre rose.
6. Le poivre rose est un ingrédient qui donne une touche extraordinaire, à mon avis, et vous pouvez en écraser certains et d'autres en les laissant entiers.
7. Le soi-disant poivre rose, en réalité, est le grain d'un shaker brésilien. Sa saveur est très particulière, le mélange de sucré, d'agrumes, peu épicé, rappelle le pin.
8. Enfin, vous ajoutez le poulet rôti que vous pouvez acheter bien emballé ou les restes d'une préparation maison.

CHAPITRE CINQ

Recettes du déjeuner

Chili con carne au chocolat

Ingrédients

- 2 oignons
- 4 gousses d'ail
- 2 poivrons (rouges)
- 5 piments (rouges)
- 1000 g de bœuf (épaule)
- 6 boîte (s) de tomates (pelées)
- 1 boîte (s) de maïs
- 2 boîte (s) de haricots rouges
- 150 g de chocolat (noir)
- du beurre clarifié
- 3 cuillères à soupe de concentré de tomates
- sel
- Poivre (du moulin)
- 4 feuilles de laurier

- 1000 ml de soupe de bœuf

préparation

1. Pour le chili con carne au chocolat, épluchez d'abord et hachez finement les oignons et l'ail. Lavez les poivrons, retirez la tige et les graines et coupez-les en petits dés. Épépiner le piment ou laisser les graines avec, selon la chaleur désirée. Retirez la tige et hachez finement le piment. Nettoyez et coupez la viande en dés. Coupez grossièrement les tomates de la boîte. Égouttez le maïs et les haricots. Râpez le chocolat.

2. Dans une casserole suffisamment grande, faire revenir l'oignon et l'ail dans le beurre clarifié, ajouter la viande. Incorporer le paprika, le piment et la pâte de tomate et faire revenir brièvement (pas trop longtemps, sinon la pâte de tomate sera amère). Déglacer avec la soupe. Ajouter les herbes et épices et les tomates. Mettez le couvercle et laissez mijoter pendant environ une demi-heure.

3. Ajoutez ensuite le maïs et les haricots. Incorporer le chocolat et laisser mijoter brièvement. Il est préférable de laisser tremper le chili con carne au chocolat avant de servir.

Poulet au Curry (Poulet Thaïlandais)

Ingrédients

- 2 poitrines de poulet désossées et sans peau (pas trop petites)
- 3 cuillères à soupe d'huile d'olive
- 1 petit oignon, haché finement
- 2 gousses d'ail émincées
- 3 cuillères à soupe de curry en poudre
- 1 cuillère à café de cannelle moulue
- 1 cuillère à café de paprika
- 1 feuille de laurier
- 1/2 cuillère à café de racine de gingembre fraîchement râpée
- 1 cuillère à soupe d'extrait de tomate
- 1 bouteille de lait de coco
- 1/2 citron (jus)
- 1 poivron rouge
- 1 tasse d'ananas (facultatif)

Préparation

1. Dans une bassine, assaisonner les cubes de poulet avec du sel et du jus de citron et réserver.
2. Mettez dans une casserole l'huile d'olive, l'ail, l'oignon et faites revenir jusqu'à ce qu'ils soient dorés.
3. Ensuite, mettez le poulet dans la poêle et faites-le revenir jusqu'à ce qu'il soit doré.
4. Ajouter l'ananas (facultatif), le curry, la cannelle, le paprika, la feuille de laurier, l'extrait de tomate, le gingembre et le poivron rouge. Faire sauter encore quelques minutes (si nécessaire, ajouter une tasse d'eau).
5. Ajouter le lait de coco, cuire encore quelques minutes et servir.

Salade de quinoa aux pois chiches et feta

Ingrédients:

- 1 oignon
- 1 orteil d'ail
- 1 cuillère à soupe d'huile d'olive
- 150 ml de bouillon de légumes
- 100 g de quinoa
- 60 g de Feta
- 215 g (poids égoutté, du pot) pois chiches
- 1 petit bouquet de coriandre
- 0,5 citron
- sel
- poivre
- 0,5 cuillère à café de Ras el Hanout

préparation

1. Peler et hacher finement l'oignon et l'ail, faire revenir dans une casserole avec de l'huile. Déglacer avec le bouillon de légumes, porter à ébullition et y cuire le quinoa selon les instructions sur le sachet.

2. En attendant, versez les pois chiches du verre dans une passoire, rincez et égouttez. Lavez la coriandre,

secouez-la et hachez-la. Pressez le citron. Préparez une vinaigrette à partir de jus de citron, sel, poivre, Ras el Hanout et coriandre.

3. Mettez le quinoa fini dans un bol, versez les pois chiches égouttés et la vinaigrette dessus. Enfin, émiettez la feta et mélangez-la avec la salade de quinoa. Laissez infuser pendant au moins 15 minutes. La salade a un goût tiède ou froid.

Omelette et légumes d'été

Ingrédients
- Aérosol de cuisson antiadhésif
- 1/4 tasse de maïs à grains entiers congelé, décongelé
- 1/3 tasse de courgettes hachées
- 3 cuillères à soupe d'oignon vert haché
- 2 cuillères à soupe d'eau
- 1/4 cuillère à café de poivre noir
- 2 gros blancs d'oeufs
- 1 gros œuf entier
- 1 once de fromage cheddar fort faible en gras

Préparation
1. Chauffer une tasse à feu moyen-vif. Enduire d'un enduit à cuisson.

2. Ajouter le maïs, les courgettes et les oignons dans la casserole; faire sauter 4 minutes ou jusqu'à ce qu'ils soient tendres et fermes.
3. Retirez le feu. Chauffer une poêle de 10 pouces à feu moyen-vif. Mélanger dans un bol l'eau, le poivre, les blancs d'œufs et l'œuf, bien mélanger au fouet.
4. Enduire d'un enduit à cuisson.
5. Versez le mélange d'œufs dans le bol; cuire jusqu'à ce que les bords soient pris (environ 2 minutes).
6. Soulevez doucement les bords de l'omelette avec une spatule, en inclinant la casserole pour amener le mélange d'œufs crus en contact avec la casserole.
7. Saupoudrer le mélange de légumes avec du fromage à l'aide d'une cuillère sur une moitié de l'omelette.
8. À l'aide de la spatule, peler l'omelette et replier l'omelette (en deux).
9. Cuire encore deux minutes ou jusqu'à ce qu'il soit fondu. Faites glisser l'omelette sur une assiette.

Asperges de sureau et fromage à la crème aux herbes

Ingrédients
- 1 kg d'asperges blanches
- 3 cuillères à soupe de beurre

- 4 cuillères à soupe de sirop de fleur de sureau
- sel
- 5 ombelles de fleurs de sureau
- 500 g de pommes de terre cireuses
- 10 g de menthe (0,5 bouquet)
- 300 g de fromage à la crème
- 150 g de yaourt (3,5% de matières grasses)
- poivre
- 1 cuillère à café de jus de citron
- 10 g de persil (0,5 bouquet)
- 10 g de ciboulette (0,5 bouquet)

Etapes de préparation

1. Épluchez les asperges et les extrémités ligneuses sont coupées. Avec 1 cuillère à soupe de beurre, graissez un plat allant au four et placez-y les bâtonnets. Assaisonnez de sel, triez les fleurs de sureau et étalez-les sur les asperges. Arroser de sirop. Couvrir le moule et cuire les asperges pendant 60 à 80 minutes dans un four préchauffé à 100 ° C (four ventilé: 80 ° C; gaz: niveau 1).

2. Peler et laver les pommes de terre et cuire à l'eau bouillante salée pendant 25 à 30 minutes.

3. Lavez la menthe, secouez-la et hachez finement les feuilles. Mélanger le yaourt avec le fromage à la crème, incorporer la menthe et assaisonner avec le sel, le poivre et le jus de citron.

4. Lavez et séchez le persil, secouez et hachez. Dans une poêle, faites chauffer le beurre restant, égouttez les pommes de terre, laissez-les s'évaporer et mélangez le beurre et le persil dans la poêle chaude.

5. Lavez la ciboulette, secouez-la, puis coupez-la en rouleaux. Sortez les asperges du four avec les ombelles de fleurs, disposez 4 assiettes avec les pommes de

terre persillées et le fromage à la crème à la menthe et servez saupoudrée de ciboulette.

Salade de bar et poivrons

Ingrédients

- Bar très propre: Un filet de 150 g.
- Laitues assorties: 100 g.
- Ciboulette: au goût
- Poivron rouge frais ou rôti: 1
- Tomates cerises au goût
- Gousse d'ail et persil 1
- Poireau 1
- Carotte 1
- Huile d'olive Une cuillère à soupe
- Sel et citron au goût

les directions

1. Nous mettons le filet de bar dans du papier aluminium. Dans le mortier, hachez l'ail et le persil, ajoutez 2 petites cuillères à café d'huile et recouvrez-en le filet de bar.
2. Nous mettons également des lanières de poireaux et de carottes sur le filet de bar (les rubans de légumes

peuvent être confectionnés avec l'éplucheur à fruits) et un peu de sel. Maintenant, nous fermons la feuille hermétiquement et la prenons au four à 120 ºC pendant 8 à 10 minutes. Une fois cuit, laissez refroidir.

3. Dans un saladier, nous mettons le mélange de laitue et hachons très finement la ciboulette et le poivre. Nous l'ajoutons aussi. Ajouter les tomates cerises coupées en quartiers. Ajoutez seulement une petite cuillère à café d'huile d'olive, de sel et de citron comme vinaigrette et remuez bien et ajoutez maintenant le poisson avec les légumes que nous avons cuits au four et prêts à manger.

Tarte au berger facile au four

Ingrédients

- 500 grammes de viande de canard fraîchement moulue
- 3 cuillères à soupe d'huile ou d'huile d'olive
- 1 petit oignon, haché finement
- 1 cuillère à café d'assaisonnement à l'ail et au sel prêt à l'emploi
- 1 cuillère à soupe de chimichurri d'épices sèches
- 4 pommes de terre moyennes cuites et en purée

- 1 cuillère à soupe de beurre
- 100 ml de lait
- 25 grammes de parmesan râpé
- 1 pincée de sel

Préparation

1. Dans une poêle, chauffer l'huile, l'oignon et les faire frire.
2. Ajouter la viande, l'ail et l'assaisonnement salé.
3. Faites bien frire jusqu'à ce que l'eau de viande accumulée sèche.
4. Une fois la viande frite, ajoutez suffisamment d'eau pour couvrir la viande.
5. Laissez cuire avec la casserole sans couvercle jusqu'à ce que l'eau sèche à nouveau.
6. Ajouter le chimichurri, remuer et cuire jusqu'à ce que l'eau sèche et la viande est frite jusqu'à ce qu'elle soit bien sèche.
7. Mettre la viande dans un plat allant au four et réserver.
8. Préparez une purée en mélangeant les ingrédients restants et en étalant sur la viande.
9. Cuire au four environ 20 minutes ou jusqu'à ce que le tout soit rincé.
10. Retirer et servir.

Poisson aux herbes, ail et sauce tomate

Ingrédients

- 6 dents d'ail pelées et entières
- 300 grammes de mini oignon coupé en deux
- 300 grammes de tomate poire (ou cerise) coupée en deux
- 1 sachet d'herbes (basilic, persil et thym) hachées grossièrement
- 1/2 tasse d'huile d'olive
- 1 filet de merluza
- 2 tasses de farine de blé
- 3 oeufs
- 3 tasses de semoule de maïs
- poivre noir au goût
- huile de friture
- sel au goût

Préparation

1. Dans un grand plat allant au four, placez l'ail, l'oignon, la tomate et les herbes. Mélangez l'huile d'olive, le sel et le poivre.
2. Enveloppez les filets de poisson et couvrez-les d'une pellicule plastique.
3. Réfrigérer et mariner 1 heure.

4. Retirer les filets de poisson, passer dans la farine, puis dans les œufs battus avec un peu de sel et enfin dans la semoule de maïs. Réfrigérer.
5. Mettez la plaque à pâtisserie avec la marinade au four, préchauffée à 200 ° C, et laissez cuire environ 20 minutes.
6. Retirez les filets panés du réfrigérateur et faites-les frire dans l'huile chaude jusqu'à ce qu'ils soient dorés.
7. Servir le poisson avec la sauce dans le plat allant au four.

Salade chaude au chou frisé et haricots blancs

Ingrédients:

- 1 gros bouquet de chou frisé bien lavé
- 1 à 2 cuillères à soupe d'huile d'olive
- 1 tige de romarin frais, les feuilles retirées de la tige et coupées
- 1 petit oignon, coupé
- 1 grosse carotte, tranchée
- ½ cuillère à café de zeste de citron finement râpé
- 1 gousse d'ail émincée
- Sel au goût

- 2 tasses de haricots de Lima cuits ou d'autres haricots blancs plus un bouillon de cuisson ou 1 boîte (14 onces)
- 1 tasse de persil nature, coupé
- Huile d'olive extra vierge, à vaporiser
- Jus de ½ à petit citron, à vaporiser (facultatif)

Préparation

1. Retirez les feuilles des tiges de chou frisé. Couper en petits morceaux. Mettre de côté.
2. Égouttez les haricots blancs en réservant leur bouillon. Si vous utilisez des haricots en conserve, égouttez et lavez. Mettre de côté.
3. Dans une grande casserole, chauffer l'huile à feu moyen-vif jusqu'à ce qu'elle commence à bouillir. Ajouter le romarin, réserver une cuillère à café, laisser bouillir un instant, puis ajouter l'oignon haché, la carotte et le zeste de citron. Bien mélanger et réduire la température. Couvrir et «faire suer» les légumes pendant quelques minutes ou jusqu'à ce qu'ils soient tendres et que l'oignon soit un peu doré, en remuant de temps en temps pour s'assurer qu'ils ne collent pas ou ne brûlent pas.
4. Augmentez la température à moyen-élevé. Ajouter l'ail coupé, remuer et cuire 5 minutes. Ajouter les légumes verts coupés avec une bonne pincée de sel et faire sauter jusqu'à ce qu'ils commencent à se flétrir et à ramollir.
5. Ajouter ½ tasse de bouillon de haricots ou d'eau. Porter à ébullition, baisser la température de 10 à 15 minutes ou jusqu'à ce que les légumes verts soient tendres et que le liquide se soit évaporé. Mettez un peu plus de bouillon ou d'eau si les légumes semblent très secs.

6. Mélangez le persil haché et la cuillère à café restante de romarin, faites cuire 1 minute, puis ajoutez les haricots dans la casserole. Mélangez soigneusement avec les verts. Essayez l'assaisonnement.

7. Éteignez le brûleur et laissez reposer le quinoa pendant 5 minutes. Servir saupoudré d'un peu d'huile d'olive et d'un peu de jus de citron.

Espadon aux échalotes

Ingrédients

- 800 g d'espadon
- 1 citron (moyen)
- 1 dl d'huile d'olive
- 2 oignons
- 1 dl de vin blanc
- 1 c. (dessert) persil haché
- 4 pommes Royal Gala
- 1 c. (soupe) Beurre
- 150 g de ciboulette
- Sel qs
- Paprika qs
- Salsa qs

Préparation

1. Assaisonner les tranches d'espadon avec du sel et du jus de citron. Laissez-les mariner pendant 30 minutes. Passé ce délai, faites-les frire dans l'huile d'olive. Ajouter les oignons pelés et tranchés aux demi-lunes et les faire sauter.
2. Refroidir avec du vin blanc et assaisonner avec un peu plus de sel. Saupoudrer de persil haché. Épluchez les pommes, coupez-les en quartiers et faites-les revenir dans du beurre. Épluchez les oignons nouveaux et ajoutez-les au fruit.
3. Assaisonner avec du sel et du paprika. Servir le poisson garni d'oignons de printemps et accompagné de pommes sautées et d'oignons de printemps. Garnir de persil.

Rognons de veau

Ingrédients
- 1 rognon de veau 500 g
- lait pour insérer le rein
- 1 oignon 60 g
- 1 gousse d'ail

- 2 cuillères à soupe d'huile d'olive
- 1 pincée de sucre
- 150 ml de xérès sec
- 50 g de chantilly
- 1 feuille de laurier fraîche
- sel
- poivre du moulin
- 1 cuillère à soupe d'estragon finement haché

Etapes de préparation

1. Couper le rognon de veau en deux dans le sens de la longueur, parer, bien rincer et couvrir environ 45 minutes de lait, puis retirer, éponger et couper en bouchées.
2. Épluchez l'oignon et les gousses d'ail, coupez l'oignon en gros dés et coupez l'ail en petits dés. Faites chauffer l'huile dans une poêle, faites-y revenir rapidement les morceaux de rein, retirez-les et réservez au chaud.
3. Faire suer les oignons et l'ail jusqu'à ce qu'ils soient translucides dans la graisse de friture, saupoudrer de sucre, déglacer au sherry, mettre la feuille de laurier et cuire 5 minutes. Assaisonner de sel et de poivre, retirer la feuille de laurier et retirer la sauce du feu. Incorporer la crème et la moitié de l'estragon, ajouter le jus et les rognons et réchauffer soigneusement (il ne doit plus bouillir). Disposer les rognons dans un bol préchauffé et servir le reste d'estragon saupoudré.

Salade de poulet et courgettes aux noix

Ingrédients

- 3 courgettes
- 500 g de filet de poulet
- sel
- poivre
- 4 cuillères à soupe d'huile d'olive
- ½ frette menthe
- ½ citron
- 80 g de pacanes

Etapes de préparation

1. Les courgettes doivent être lavées et nettoyées et coupées en fines tranches. Assaisonner de sel et de poivre, rincer le filet de poulet à l'eau froide et sécher en tapotant.
2. Dans une poêle, faites chauffer 2 cuillères à soupe d'huile. Faites-y frire le poulet pendant environ 10 minutes à feu moyen jusqu'à ce qu'il soit doré. Réduisez le feu et laissez cuire les filets de poitrine de poulet.
3. Dans une autre poêle, faites chauffer l'huile restante. Faire revenir les tranches de courgettes dedans pendant environ 4 minutes à feu moyen.

4. Lavez la menthe, secouez les feuilles sèches et cueillez-les. Pressez les citrons en deux.
5. Retirez le poulet du bol, égouttez-le sur du papier absorbant et coupez-le en fines tranches. Hachez grossièrement les noix et mélangez bien avec les courgettes, le poulet, la menthe et le jus de citron. Utilisez du sel et du poivre pour assaisonner et disposer dans des bols.

CHAPITRE SIX
Recettes de dîner

Chili aux légumes

Ingrédients

- 2 oignons
- 2 bout (s) d'ail
- 1 dosette (s) de piment
- 1 cuillère à soupe d'huile
- 2 poivrons
- 4 tomates
- 400 g de haricots rouges
- 1 cuillère à soupe de poudre de paprika
- 1 pincée de graines de carvi
- 1 cuillère à soupe de marjolaine
- 200 ml de soupe
- sel
- poivre

Préparation

1. Préparez la soupe pour le chili aux légumes. Épluchez l'ail et les oignons et hachez-les finement avec le piment. Faites chauffer l'huile dans une poêle et faites-y revenir l'ail, les oignons et le piment.

2. Couper les poivrons et les tomates en dés et les ajouter à la poêle avec les haricots rouges. Poursuivre la friture pendant 2-3 minutes en remuant constamment, assaisonner de sel et de poivre et déglacer avec la soupe.

3. Écraser les graines de carvi et saupoudrer de poudre de paprika et de marjolaine selon le goût. Les légumes chili mijotent encore 10 minutes.

Chili de boeuf aux haricots rouges

Ingrédients

- 50 g de graisse de bacon
- 2 cuillères à soupe d'huile
- 2 pièces Oignons
- 2 poivrons

- 500 ml de soupe de bœuf
- 340 g de corned-beef (boîte)
- 1 tasse de tomates (pelées)
- 800 g de haricots rouges
- Sel (peu)
- poivre de Cayenne
- Poudre de paprika (rose vif)
- Assaisonnement Chili con carne

Préparation

1. Pour le chili boeuf aux haricots rouges, coupez le bacon en petits dés et laissez-le dans l'huile.
2. Épluchez, hachez et faites suer l'oignon jusqu'à ce qu'il soit translucide. Couper les poivrons en deux, retirer les tiges et les graines, laver et couper la pulpe en cubes d'environ 2 cm.
3. Ajouter au mélange de bacon et d'oignon avec la soupe et cuire jusqu'à ce qu'il soit suffisamment tendre pour qu'il mord encore. Couper le corned-beef en dés, ajouter les tomates en conserve et le jus.
4. Égoutter et ajouter les haricots. Chauffez à nouveau. Assaisonner avec un peu de sel, de la poudre de paprika, du poivre de Cayenne, des épices chili-con-carne et servir le bœuf chili avec des haricots rouges.

Pommes de terre au four avec des haricots

Ingrédients

- 6 pommes de terre (grosses)
- 4 cuillères à soupe de ghee (ou d'huile)
- 1 oignon (haché, gros)
- 2 gousses d'ail (écrasées)
- 1 cuillère à café de curcuma (moulu)
- 1 cuillère à soupe de cumin (cumin)
- 2 cuillères à soupe de pâte de curry douce ou moyennement chaude
- 350 g de tomates cocktail
- 400 g de sourcils renversés et rincés
- 400 g de haricots rouges lavés et égouttés de la boîte
- 1 cuillère à soupe de citron (jus)
- 2 cuillères à soupe Paradeismark
- 150 ml d'eau
- 2 cuillères à soupe de menthe fraîche ou de coriandre hachée
- sel
- poivre

préparation

1. Badigeonner les pommes de terre et les piquer quelques fois avec une fourchette. Cuire au four à 180 ° C / gaz 4 pendant 1 à 1 pendant un quart d'heure jusqu'à ce que les pommes de terre cèdent avec une légère pression.

2. Commencez à préparer les haricots environ 20 minutes avant la fin du temps de cuisson. Chauffer le ghee ou l'huile dans une casserole, ajouter l'oignon et faire revenir 5 minutes à basse température en remuant fréquemment. Ajouter le curcuma, le cumin, l'ail et la pâte de curry et laisser allumer 1 minute.

3. Incorporer les tomates, les pois noirs et le jus de citron rouge, les haricots rouges, la pulpe de tomate, l'eau et la menthe hachée. Bien assaisonner avec du sel et du poivre fraîchement moulu, puis couvrir et laisser mijoter à feu doux pendant 10 minutes à basse température en remuant fréquemment.

4. Une fois cuites, coupez les pommes de terre en deux et écrasez légèrement la chair avec une fourchette. Le mélange de haricots préparé sur le moule, placer sur des assiettes de service chaudes et porter à table sur place.

5. Pommes de terre cuites dans la coquille, sur lesquelles un savoureux mélange de haricots est versé dans une sauce épicée. Un plat délicieux, copieux et riche en fibres.

6. Croisez-les en haut et appuyez légèrement dessus pour les ouvrir. Versez un peu de mélange préparé dans la croix. Le reste du remplissage à côté se forme.

Tarte à la viande et aux reins

Ingrédients

- 500 g de bœuf (coupé en dés)
- 225 g de rognons (de vache ou de veau, bien nettoyés et coupés)
- 1 oignon (haché)
- 150 g de champignons (propres et tranchés)
- 250 ml de bouillon de bœuf
- 2 cuillères à soupe. pâte de tomate (facultatif)
- 1 cuillère à soupe. fécule de maïs
- 250 g de pâte feuilletée (ou pâte cassée)
- 1 œuf (battu)
- 1 cuillère à café sel
- 1 cuillère à café poivre (poivre noir moulu)
- 3 cuillères à soupe huile
- eau (pour dissoudre la fécule de maïs)

Instructions

1. Faites chauffer l'huile dans une cocotte et faites dorer le bœuf. Nous le sortons et le réservons.
2. Dans la même huile, nous faisons frire l'oignon jusqu'à ce qu'il ramollisse.

3. Ajouter les rognons, la pâte de tomates, le cas échéant, les champignons et le bouillon.
4. Couvrir la casserole et baisser le feu lorsque la sauce commence à bouillir, laisser mijoter jusqu'à ce que la viande soit tendre environ 30 minutes.
5. Quand c'est presque terminé, nous pouvons commencer à chauffer le four à 180 ° C.
6. Mélangez la fécule de maïs avec un peu d'eau et ajoutez-la à la casserole où la viande et les rognons sont cuits, en mélangeant avec la sauce, assaisonnez de sel et de poivre, en laissant cuire le ragoût 5 minutes de plus, jusqu'à ce que la sauce épaississe.
7. Nous passons la viande et les rognons avec leur sauce dans un plat allant au four.
8. Nous étirons suffisamment la pâte pour couvrir la source en guise de couverture. Nous humidifions le bord de la fontaine avec de l'eau et pressons la pâte contre le bord pour la sceller.
9. Nous faisons une entaille au milieu pour que la vapeur puisse s'échapper, et nous peignons la pâte avec un œuf battu.
10. Nous mettons la tarte à la viande et aux reins au four et laissons cuire pendant 30 minutes, ou jusqu'à ce que la pâte qui recouvre le gâteau soit dorée.
11. Nous servons le gâteau très chaud, presque dès sa sortie du four pour que la vapeur ne ramollisse pas la pâte.

Casserole de chou-fleur et de potiron

Ingrédients

- 2 cuillères à soupe. huile d'olive
- 1/4 d'oignon jaune moyen, émincé
- 6 tasses de chou frisé haché en petits morceaux (environ 140 g)
- 1 petite gousse d'ail émincée
- Sel et poivre noir fraîchement moulu
- 1/2 tasse de bouillon de poulet faible en sodium
- 2 tasses de citrouille coupée en dés de 1,5 cm (environ 230 g)
- 2 tasses de courgettes en dés de 1,5 cm (environ 230 g)
- 2 cuillères à soupe. Mayonnaise
- 3 tasses de riz brun surgelé et décongelé
- 1 tasse de fromage suisse râpé
- 1/3 tasse de parmesan râpé
- 1 tasse de farine de panko
- 1 gros œuf battu
- Aérosol de cuisson

Préparation

1. Préchauffer le four à 200 ° C. Chauffer l'huile dans une grande poêle antiadhésive à feu moyen. Ajouter les oignons et cuire, en remuant de temps en temps,

jusqu'à ce qu'ils soient dorés et tendres (environ 5 minutes). Ajouter le chou, l'ail et 1/2 cuillère à café de sel et 1/2 cuillère à café de poivre et cuire jusqu'à ce que le chou soit léger (environ 2 minutes).

2. Ajouter le bouillon et poursuivre la cuisson jusqu'à ce que le chou se fane et que la majeure partie du bouillon s'évapore (environ 5 minutes). Ajouter la courge, les courgettes et 1/2 cuillère à café de sel et bien mélanger. Poursuivez la cuisson jusqu'à ce que la citrouille commence à ramollir (environ 8 minutes). Retirer du feu et ajouter la mayonnaise.

3. Dans un bol, mélanger les légumes cuits, le riz brun, le fromage, 1/2 tasse de farine et le gros œuf et bien mélanger. Vaporisez une cocotte de 2 litres avec un enduit à cuisson. Étalez le mélange au fond de la casserole et couvrez avec le reste de farine, 1/4 cuillère à café de sel et quelques pincées de poivre. Cuire au four jusqu'à ce que la courge et les courgettes soient tendres et le dessus doré et croustillant (environ 35 minutes). Servir chaud.

Salade de boeuf thaïlandaise Larmes du tigre

Ingrédients

- 800 g de filet de bœuf

Pour la marinade:

- 2 cuillères à soupe de sauce soja
- 1 cuillère à soupe de soupe de miel
- 1 pincée de moulin à poivre

Pour la sauce:

- 1 petit bouquet de coriandre fraîche
- 1 petit bouquet de menthe
- 3 cuillères à soupe de sauce de poisson
- vert citron
- 1 gousse d'ail
- cuillères à soupe de soupe de palmier à sucre (ou de cassonade)
- 1 piment oiseau ou dix gouttes de Tabasco
- 1 petit verre de riz thaï cru pour faire de la poudre de riz grillé
- 200 g de roquette ou de jeunes pousses de salade

Préparation

1. Coupez le filet de bœuf en lanières et mettez-le dans un récipient. Saupoudrer de 2 cuillères à soupe de

sauce soja, 1 cuillère à soupe de miel et de poivre. Bien tremper et laisser mariner 1 heure à température ambiante.

2. Pendant ce temps, préparez la poudre de riz grillé. Versez un verre de riz thaï dans une poêle antiadhésive. Colorez le riz à sec en remuant constamment pour éviter de le brûler. Quand il a une belle couleur, débarrassez-vous-en sur une assiette et laissez-le refroidir.

3. Une fois refroidi, réduisez-le en poudre en le mélangeant au robot.

4. Lavez et hachez finement la menthe et la coriandre. Mettez dans un récipient et ajoutez le jus de citron vert, la gousse d'ail hachée, 3 cuillères à soupe de Nuoc mam, 3 cuillères à soupe de cassonade, 3 cuillères à soupe d'eau, 1 cuillère à soupe de sauce soja et une douzaine de goutte de Tabasco. Bien mélanger et laisser reposer le temps que le sucre fonde et que les saveurs se mélangent.

5. Placez un lit de salade sur un plat. Faites cuire les lanières de bœuf et mettez-les sur la salade. Saupoudrer de la cuillerée de sauce et de poudre de riz rôti. A servir tel quel ou avec un riz blanc cuit thaï parfumé.

Légumes de printemps au tofu du wok

Ingrédients:

- 500 g d'asperges vertes
- alternativement: 2 poivrons jaunes ou rouges
- 1 bouquet d'oignons verts
- 350 g de chou pointu
- 1 bol de cresson
- 1 paquet (100 g) de germes mélangés
- 25 g de gingembre frais
- 2 gousses d'ail
- 1 piment séché
- 3-4 cuillères à soupe de sauce soja
- 3 cuillères à soupe de jus de citron vert
- 4 cuillères à soupe d'huile
- 300 g de tofu
- à retourner: farine d'épeautre complète

Préparation

1. Lavez les asperges, coupez les extrémités ligneuses, coupez les tiges en morceaux d'environ 2 cm de large. Lavez, évidez et coupez les poivrons en morceaux appropriés.
2. Nettoyez, lavez et coupez les oignons nouveaux en morceaux. Il nettoie et lave le chou pointu, en coupant

la tige. Coupez de fines lanières de chou. Nettoyer, sécher, essorer et laver. Branchez-les dans des morceaux de la taille d'une bouchée. Peler et hacher le gingembre et l'ail. Le piment séché s'émiette. Mélanger dans un bol, la sauce soja et le jus de lime. Ajoutez l'huile de sésame.

3. Faites chauffer un wok ou une poêle profonde avec 2 cuillères à soupe d'huile. Coupez le tofu en petits morceaux et mélangez-le avec de la farine complète. Faites frire dans l'huile chaude jusqu'à ce qu'elles soient dorées. Assaisonnez avec du sel et du poivre. Utilisez du papier absorbant pour retirer / égoutter. Videz cette huile.

4. Faites chauffer l'huile de wok restante. Faire frire les asperges 1 à 2 minutes en remuant. Faites frire les oignons, le chou et les légumes restants pendant une minute. Mélanger la marinade, plier les morceaux de tofu. Assaisonnez avec du sel et du poivre.

Salade d'asperges et carottes avec burrata

Ingrédients
- 250 g d'asperges blanches
- 250 g d'asperges vertes
- 2 carottes
- 3 cuillères à soupe d'huile d'olive

- 1 cuillère à soupe de graines de tournesol
- 1 cuillère à soupe de jus de citron
- 150 g de tomates cerises
- 1 poignée de roquette
- 1 oignon nouveau
- 2 balles burrata

Etapes de préparation

1. Épluchez les asperges et les extrémités inférieures sont coupées. Lavez les asperges vertes et les extrémités ligneuses sont également coupées. Coupez-le en morceaux avec les asperges. Nettoyez, épluchez et coupez en bâtonnets avec les carottes.

2. Dans une casserole, chauffer l'huile et faire revenir les asperges et les carottes à feu moyen pendant cinq minutes. Ajouter les graines au tournesol et faire rôtir pendant 3 minutes. Déglacer avec du jus de citron et ajouter du sel et du poivre pour assaisonner le mélange d'asperges et de carottes. Retirez-le du feu et laissez-le refroidir.

3. Lavez les tomates et coupez-les en quartiers en même temps. Lavage à la roquette et secousse. Les oignons de printemps sont nettoyés, lavés et coupés en morceaux.

4. Mélanger les tomates, la roquette et les oignons nouveaux avec les asperges, les disposer sur des assiettes et servir chacune avec une boule de burrata.

Salade de quinoa Gagnant

Ingrédients

- 200 g de quinoa
- 1 mangue
- 1 concombre
- 3 tomates
- 1 poivron rouge
- 150 g de mâche
- 1 oignon rouge
- 2 tiges de menthe
- 150 g de feta (45% de matière grasse sur matière sèche)
- 1 cuillère à soupe d'huile d'olive
- 1 cuillère à soupe de vinaigre de cidre de pomme
- sel
- poivre

Etapes de préparation

1. Rincer le quinoa à l'eau froide, porter à ébullition dans une casserole avec deux fois la quantité d'eau et cuire à feu doux pendant environ 10 minutes. En attendant, épluchez la mangue, coupez-la dans la pierre et

coupez la pulpe en dés. Nettoyez, lavez et coupez le concombre, les tomates et les poivrons. Lavez la mâche et essorez-la. Épluchez et hachez l'oignon. Lavez la menthe, secouez-la, cueillez les feuilles et coupez-la en lanières. Coupez la feta en dés.

2. Égoutter le quinoa, égoutter et transférer dans un bol. Ajouter la mangue, le concombre, les tomates, le poivron, la mâche, l'oignon, la menthe et la feta et mélanger. Assaisonnez la salade avec de l'huile d'olive, du vinaigre de cidre de pomme, du sel et du poivre.

CHAPITRE SEPT

Desserts et sucreries

Tarte aux canneberges fraîches

Ingrédients

- 1 ½ tasse de craquelins Graham émiettés
- ¼ tasse de pacanes hachées sans sel
- 1 tasse d'édulcorant Splenda
- ½ tasse de margarine sans sel non hydrogénée
- 1 ½ tasse de canneberges fraîchement cueillies
- 2 blancs d'oeufs
- 1 cuillère à soupe. concentré de jus de pomme décongelé
- 1 cuillère à soupe. extrait de vanille
- 1 litre de garniture fouettée Cool Whip, décongelée

Glaçage aux canneberges:

- ¼ tasse d'édulcorant Splenda
- ¼ tasse de sucre en poudre
- 1 cuillère à soupe. fécule de maïs
- ¾ tasse de canneberges fraîches

- ¾ tasse d'eau

Préparation

1. Préchauffer le four à 375 ° F (190 ° C).
2. Mélangez les craquelins émiettés, les pacanes et ¾ tasse de Splenda. Ajouter la margarine, bien mélanger et disposer sur un moule à charnière en appuyant sur le fond et les côtés. Cuire la pâte au four pendant 6 minutes ou jusqu'à ce qu'elle soit légèrement dorée. Laisser refroidir.
3. Mélangez les canneberges avec 1 tasse de Splenda. Laisser reposer 5 minutes. Ajouter les blancs d'œufs, le jus de pomme et la vanille. Battre à basse vitesse jusqu'à ce que ce soit mousseux, puis battre à haute vitesse pendant 5 à 8 minutes jusqu'à ce que le mélange soit ferme.
4. Incorporer la garniture fouettée au mélange de canneberges. Versez le mélange sur la pâte précuite. Réfrigérer au moins 4 heures jusqu'à ce que le mélange soit ferme.
5. Pour faire le glaçage, mélangez le sucre, le Splenda et la fécule de maïs dans une casserole. Incorporer les canneberges et l'eau. Cuire en remuant jusqu'à ce que des bulles apparaissent. Poursuivre la cuisson en remuant de temps en temps jusqu'à ce que la peau de canneberge se détache. Utilisez le mélange à température ambiante. Ne pas réfrigérer: la sauce peut cristalliser et devenir opaque.
6. Retirer la tarte de la poêle et disposer sur un plat de service; à l'aide d'une cuillère, enrober de glaçage.

Bleuets et pommes croquants

Ingrédients

Croquant

- 1 tasse (1¼ tasse) de gruau à cuisson rapide
- ¼ tasse (60 ml) de cassonade
- ¼ tasse (60 ml) de farine tout usage non blanchie
- 90 ml (6 cuillères à soupe) de margarine fondue

Garnir

- 125 ml (½ tasse) de cassonade
- 20 ml (4 c. À thé) de fécule de maïs
- 1 litre (4 tasses) de bleuets frais ou surgelés (non décongelés)
- 500 ml (2 tasses) de pommes râpées
- 1 cuillère à soupe.
- À soupe (15 ml) de margarine fondue 15 ml (1 cuillère à soupe) de jus de citron

Préparation

1. Placez le gril au centre du four. Préchauffer le four à 180 ° C (350 ° F).

2. Dans un bol, mélanger les ingrédients secs. Ajouter la margarine et mélanger jusqu'à ce que le mélange soit juste humecté. Livre.

3. Dans un plat de cuisson carré de 20 cm (8 po), mélanger la cassonade et la fécule de maïs. Ajouter les fruits, la margarine, le jus de citron et bien mélanger. Couvrir de croustillant et cuire au four entre 55 minutes et 1 heure, ou jusqu'à ce que le croustillant soit bien doré. Servir chaud ou froid.

Fête de la framboise meringue à la crème diplomate

Ingrédients

Préparation de la meringue

- 2 blancs d'oeufs
- 1/2 tasse de sucre en poudre
- 1/4 c. À thé extrait de vanille
- 1/4 tasse de sucre d'orge émietté

Préparation mousse à la framboise

- 1 tasse de framboises surgelées
- 1/4 tasse d'eau
- 2 cuillères à soupe. Poudre de framboise Jell-O sans sucre ajouté

- 1 1/2 tasse de Cool Whip
- 1 bol de framboises fraîches

Préparation

1. Pour faire la meringue, préchauffer le four à 350 o F (175 o C) et tapisser une plaque à pâtisserie de papier sulfurisé.

2. Dans un mélangeur ou un bol, fouetter les blancs d'œufs jusqu'à l'obtention de la mousse. Ajoutez doucement le sucre en fouettant jusqu'à ce que vous obteniez des pics fermes et brillants. Incorporer l'extrait de vanille et le sucre d'orge émietté.

3. Façonner les meringues sur la plaque à biscuits enduite et placer dans le four préchauffé. Éteignez le four et attendez 2 heures. N'ouvrez pas le four. Une fois les meringues sèches, casser les meringues en petites bouchées.

4. Pour faire la mousse, mettez les framboises surgelées et l'eau dans une petite casserole. Chauffer jusqu'à ce que les framboises fondent et soient tendres. Mettez ces framboises dans un mixeur. Ajouter la poudre Jell-O et mélanger. Une fois les framboises complètement refroidies, incorporer le Cool Whip.

5. Pour façonner la framboise, déposer dans des verres ballons pour des portions individuelles ou dans un grand moule à gâteau d'abord une couche de mousse à la framboise, puis une couche de meringue, puis des framboises fraîches. Répétez les couches. Réfrigérer quelques heures avant de servir.

Mousse de cheesecake aux framboises

Ingrédients

- 1 tasse de garniture de limonade légère
- 1 boîte de 8 oz de fromage à la crème à température ambiante
- 3/4 tasse de pastilles d'édulcorant sans calories SPLENDA
- 1 cuillère à soupe. à t. de zeste de citron
- 1 cuillère à soupe. à t. extrait de vanille
- 1 tasse de framboises fraîches ou surgelées

Préparation

1. Battre le fromage à la crème jusqu'à ce qu'il pétille; ajouter 1/2 tasse de granulés SPLENDA et mélanger jusqu'à ce qu'ils soient fondus. Incorporer le zeste de citron et la vanille.
2. Réservez quelques framboises pour la décoration. Écrasez le reste des framboises avec une fourchette et mélangez-les avec 1/4 tasse de granulés SPLENDA jusqu'à ce qu'elles soient fondues.
3. Ajouter légèrement la pâte et la garniture au fromage, puis ajouter doucement mais rapidement les framboises concassées. Partager cette mousse dans 6 ramequins avec une cuillère et conserver au réfrigérateur jusqu'à dégustation.

4. Garnir les mousses des framboises réservées et garnir de menthe fraîche avant de servir.

Biscuits aux amandes et à la meringue

Ingrédients
- 2 blancs d'œufs ou 4 c. blancs d'œufs pasteurisés (à température ambiante)
- 1 cuillère à soupe. crème tartare
- ½ cuillère à café
- ½ cuillère à café d'extrait d'amande extrait de vanille
- ½ tasse de sucre blanc

Préparation
1. Préchauffez le four à 300F.
2. Fouettez les blancs d'œufs avec la crème de tartre jusqu'à ce que le volume ait doublé. Ajouter les autres ingrédients et fouetter jusqu'à la formation de pics.
3. À l'aide de deux cuillères à café, déposez une cuillerée de meringue sur du papier sulfurisé avec le dos de l'autre cuillère.
4. Cuire au four à 300F pendant environ 25 minutes ou jusqu'à ce que les meringues soient croustillantes. Placer dans un contenant hermétique.

. Tiramisu aux fraises

Ingrédients:

- 4 doigts de dame
- 4 cuillères à soupe de sirop d'amande ou d'amaretto
- 50g de sucre
- 1/2 gousse de vanille
- 100g de mascarpone
- 200g de crème de fromage blanc
- 1 cuillère à soupe de pistaches hachées
- 200g de fraises

Préparation:

1. Réduisez en purée la moitié des fraises avec 1 cuillère à soupe de sucre et la pulpe de vanille. Coupez les fraises restantes en petits morceaux. Mélanger le mascarpone et le fromage blanc avec le sucre restant.

2. Cassez les doigts éponge en morceaux et divisez-les en quatre verres. Versez le sirop d'amande dessus, puis étalez la purée de fraises et les fraises dessus. Verser le mélange de fromage blanc et garnir d'un morceau de fraise et de pistaches.

3. Laisser tremper au réfrigérateur pendant une heure.

Casserole de riz aux cerises

Ingrédients:

- 300 ml d'eau
- 150 ml de crème
- 1 sachet de sucre vanillé
- 100g de riz au lait
- 1 oeuf
- 1 blanc d'oeuf
- 50g de beurre
- 50g de sucre
- 200g de cerises aigres, confites égouttées
- 1 cuillère à soupe de chapelure
- 1 cuillère à soupe de sucre

Préparation:

1. Mélangez l'eau et la crème dans une casserole et portez à ébullition. Répartir le riz au lait et le sucre vanillé et cuire 25 minutes à feu doux en remuant de temps en temps. Laisser refroidir tiède.

2. Mélanger le beurre avec le sucre jusqu'à consistance crémeuse et incorporer les jaunes d'œufs. Bats les blancs d'oeufs en neige. Incorporer le riz au lait dans la graisse et incorporer les blancs d'œufs.

3. Mettez les cerises dans un plat allant au four et versez-y le mélange de riz. Saupoudrer de sucre et de

chapelure. Cuire au four à 180 ° C pendant environ 30 minutes.

Gâteau aux fruits au chocolat

Ingrédients

- 300 g de pruneaux
- 300 g de figue séchée
- 200 g de fruits cuits au four
- 200 g d'amandes
- 150 g de noisettes
- 5 oeufs
- 125 g de beurre
- 1 cuillère à soupe de miel
- 200 g de farine d'épeautre
- 1 pincée d'oeillet moulu
- ½ cuillère à café de gingembre moulu
- 1 cuillère à soupe de cannelle
- 100 g de chocolat noir
- 20 g d'huile de coco

Etapes de préparation

1. Hachez grossièrement les prunes, les figues et les fruits cuits au four. Hachez les noix avec un couteau ou

mettez-les brièvement dans un Blitzhacker. Séparez les œufs, battez les blancs d'œufs avec un batteur à main pour raffermir la neige. Fouettez le beurre et le miel jusqu'à ce qu'ils soient mousseux, puis ajoutez le jaune d'oeuf et la farine et remuez pour obtenir une pâte lisse. Pétrir les fruits, les noix et les épices sous la pâte et incorporer délicatement les blancs d'œufs.

2. Tapisser un moule de papier sulfurisé et y verser la pâte. Cuire au four préchauffé à 175 ° C (four ventilé: 150 ° C; gaz: vitesse 2) pendant environ 60 minutes.

3. Sortez le gâteau du four et laissez-le refroidir. Pendant ce temps, hachez le chocolat et faites-le fondre avec de l'huile de coco au bain-marie. Déformez le gâteau avec le chocolat.

Mousse au chocolat à l'avocat

Ingrédients

- 2 avocats mûrs

- 2 cuillères à soupe de lait de coco
- 40 g de cacao en poudre
- 40 ml de miel
- ½ cuillère à café de vanille en poudre
- ½ cuillère à café de graines de chia (moulues)
- 12 framboises
- 1 cuillère à café de noix de coco râpée

Etapes de préparation

1. Couper les avocats en deux, les dénoyauter et les mettre dans un mixeur.
2. Ajouter le lait de coco, le cacao en poudre, le miel, la vanille en poudre et les graines de chia moulues.
3. Réduisez en purée une masse crémeuse.
4. Réfrigérer au moins 30 minutes ou toute la nuit avant de servir. Choisissez les framboises, lavez et séchez en tapotant. Garnir l'avocat et la mousse au chocolat de framboises et de flocons de noix de coco.

Glace à l'avocat à la menthe et au chocolat

Ingrédients

- 400 ml de lait de coco (boîte)
- 3 avocats mûrs
- 10 g de menthe (0,5 bouquet)

- 2 cuillères à soupe de jus de citron
- 50 g de sirop d'agave
- 100 g de pastilles de chocolat à base de chocolat noir (teneur en cacao d'au moins 70%)

Etapes de préparation

1. Ouvrez le lait de coco et versez la partie solide du haut - ne secouez pas la canette au préalable - et placez-la dans un grand bol. Fouettez le lait de coco ferme avec un batteur à main, puis versez-le dans un gâteau ou un plat allant au four.

2. Coupez les avocats en deux, retirez les noyaux, retirez la pulpe et mettez dans un mixeur. Lavez la menthe, secouez et cueillez les feuilles. Réduisez la pulpe d'avocat avec du jus de citron, du sirop d'agave et de la menthe en une masse crémeuse et lisse.

3. Versez le mélange d'avocat sur la crème de noix de coco mousseuse, saupoudrez de gouttes de chocolat et mélangez soigneusement mais uniformément. La surface de la masse doit être relativement lisse.

4. Placez un film alimentaire sur la masse de crème glacée et appuyez légèrement pour qu'il n'y ait pas d'air entre le film et la masse de crème glacée. Placez la glace au congélateur pendant au moins 2 heures.

5. Laissez décongeler brièvement et dégustez.

Fromage cottage aux prunes

Ingrédients

- 700 g de pommes de terre
- 6 prunes
- 45 g de beurre (3 cuillères à soupe)
- 30 g de miel (2 cuillères à soupe)
- 2 pincées de cannelle
- 250 g de fromage blanc (20% de matière grasse sur matière sèche)
- 50 g de sucre de coco
- 30 g de raisins secs (2 cuillères à soupe)
- 150 g de farine d'épeautre type 1050
- 1 oeuf
- 1 pincée de poudre de cardamome
- 1 pincée de poudre de girofle

Etapes de préparation

1. Pour les cuisses de fromage blanc, épluchez, lavez, hachez les pommes de terre et faites-les cuire doucement à l'eau bouillante pendant environ 15

minutes à feu moyen. Puis versez et laissez refroidir pendant 10 minutes.

2. En attendant, lavez les prunes, coupez-les en deux, retirez les noyaux, coupez les prunes en tranches. Faites chauffer 1 cuillère à soupe de beurre dans une petite casserole. Ajouter les prunes et faire braiser 3 minutes à feu moyen. Ajouter le miel et laisser caraméliser pendant 5 minutes. Assaisonner avec une pincée de cannelle.

3. Presser les pommes de terre à travers une presse à pommes de terre dans un bol. Ajouter le caillé, le sucre, les raisins secs, la farine, l'œuf et les épices aux pommes de terre et pétrir le tout en une pâte lisse; s'il est trop humide, ajoutez de la farine. Former 18 petits biscuits à partir de la pâte.

4. Faites frire les boules de quark les unes après les autres. Faites chauffer 1 cuillère à café de beurre dans une poêle. Ajouter 4 à 5 piles de pâte et cuire au four jusqu'à ce qu'elles soient dorées de chaque côté en environ 3-4 minutes à feu moyen; Utilisez également le reste de la pâte. Disposez le pilon de fromage blanc avec les prunes.

Gâteau à la crème de coco à la base de chocolat

Ingrédients

- 2ème oeuf
- 1 pincée de sel
- 80 g de sirop d'agave
- 125 g de beurre
- 220 g de farine de blé type 1050 ou de farine d'épeautre 1050
- ½ sachet de levure chimique
- 30 g de cacao en poudre (fortement huilé)
- 1 sachet de poudre de crème
- 400 ml de lait de coco (9% de matière grasse)
- 30 g de sucre de coco
- 40 g de flocons de noix de coco
- 4 feuilles de gélatine
- 150 ml de crème fouettée
- 100 g de chocolat noir
- 20 g d'huile de coco

Etapes de préparation

1. Séparez les œufs et battez les blancs d'œufs avec du sel en blancs d'œufs. Mélanger le sirop d'agave avec le beurre et le jaune d'oeuf jusqu'à ce qu'il soit

mousseux. Mélanger la farine, la levure chimique et le cacao et passer au tamis jusqu'à la mousse de jaune d'œuf, puis transformer en une pâte lisse et incorporer les blancs d'œufs très soigneusement.

2. Tapisser ou graisser le moule à charnière de papier sulfurisé. Ajouter la pâte, lisser et cuire à 180 ° C (convection 160 ° C; gaz: niveau 2) pendant environ 25-30 minutes (faire un test de bâton). Ensuite, laissez refroidir le gâteau dans le moule.

3. Pendant ce temps, remuez la poudre de pouding avec 5 à 6 cuillères à soupe de lait de coco jusqu'à consistance lisse. Mettez le lait de coco restant, le sucre de fleur de coco et 30 g de flocons de coco dans une casserole et portez à ébullition. Incorporer la poudre de pouding mélangée et porter à ébullition en remuant puis laisser refroidir.

4. Faites tremper la gélatine dans de l'eau froide. Fouettez 100 ml de crème jusqu'à ce qu'elle soit ferme. Réchauffez légèrement la crème restante dans une casserole et dissolvez-y la gélatine bien exprimée. Incorporer 4 cuillères à soupe de crème de coco puis ajouter au reste de la crème de coco. Ajouter la crème et lisser la crème sur la base de chocolat. Réfrigérez pendant au moins 1 heure.

5. Hachez grossièrement le chocolat noir et faites fondre avec l'huile de coco au bain-marie, laissez refroidir légèrement. En attendant, retirez soigneusement le gâteau du moule. Couvrir le gâteau avec le glaçage au chocolat. Saupoudrer du reste des flocons de noix de coco et laisser prendre. Servir coupé en morceaux.

Sucettes glacées à la menthe et aux courgettes

Ingrédients

- 2 courgettes
- 10 g de gingembre (1 pièce)
- 30 g de sucre de fleur de coco (3 cuillères à soupe)
- 5 g de menthe (1 poignée)
- 50 ml de jus de citron
- 2 cuillères à soupe de miel

Etapes de préparation

1. Nettoyez, lavez et râpez finement les courgettes. Épluchez et râpez finement le gingembre.
2. Mélanger les courgettes avec le sucre de fleur de coco et le gingembre. Lavez les feuilles de menthe, secouez, mélangez avec le mélange de courgettes et étalez-les dans 8 moules à glace.
3. Mélangez le jus de citron avec 450 ml d'eau et de miel. Remplissez des moules à glace et laissez congeler environ 1 heure. Ensuite, insérez des bâtons de bois et

laissez-les geler pendant encore 3 heures. Retirer des moules pour servir.

Popsicles Skyr de cassis

Ingrédients

- 250 g de groseilles rouges
- 1 citron bio (zeste)
- 3 cuillères à soupe de sirop d'érable
- 200 g de skyr
- 100 g de yaourt grec
- 100 g de chantilly

Etapes de préparation

1. Cueillir les raisins de Corinthe des panicules, les laver et les réduire en purée finement avec le zeste de citron et 2 cuillères à soupe de sirop d'érable. Étalez le mélange à travers un tamis fin dans un bol.
2. Mélangez le Skyr avec du yaourt dans un autre bol. Ajouter 1/3 de celui-ci à la purée actuelle et remuer.
3. Incorporer le reste du sirop d'érable au reste du mélange de yogourt Skyr. Fouetter la crème jusqu'à ce

qu'elle soit ferme et étendre la moitié sur chacune des deux masses et incorporer délicatement.

4. Remplissez alternativement le mélange dans 6 moules à glace et remuez doucement avec une cuillère. Congelez pendant environ 1 heure. Ensuite, insérez des bâtons de bois et laissez-les geler pendant encore 3 heures.

5. Pour servir, retirez la glace des moules et servez comme vous le souhaitez sur une assiette en ardoise refroidie.

Sucettes glacées à l'ananas

Ingrédients

- 600 g de pulpe d'ananas fraîche
- 100 g de framboises
- 200 g de crème de coco (sans sucre)
- 50 g de sirop de riz
- 1 citron vert (jus)

Etapes de préparation

1. Coupez la pulpe d'ananas en morceaux, mettez 100 g de côté. Lavez soigneusement les framboises et séchez-les.
2. Mélangez la crème de coco avec le sirop de riz. Mettez l'ananas avec la crème de coco et le jus de citron vert dans un mixeur et écrasez finement.
3. Versez le mélange dans 8 moules à crème glacée, ajoutez 4 à 5 framboises chacun et laissez congeler environ 1 heure. Ensuite, insérez des bâtons de bois et laissez-le geler pendant encore 3 heures. Pour servir, retirer la glace des moules et disposer avec les morceaux d'ananas mis de côté.

Glace coco et chocolat aux graines de chia

Ingrédients

- 400 ml de lait de coco
- 4 cuillères à soupe de sirop d'érable
- 15 g de cacao en poudre (2 c. À soupe; fortement huilé)
- 2 sachets de thé chai
- 12 g de graines de chia blanches (2 cuillères à soupe)
- 250 g de yogourt de soja

- 30 g de chocolat noir (au moins 70% de cacao)

Etapes de préparation

1. Mettez le lait de coco dans une casserole. Ajouter le sirop d'érable et le cacao en poudre et chauffer, mais ne pas porter à ébullition. Accrochez le sachet de thé, couvrez, retirez du feu et laissez infuser 30 minutes. Ensuite, sortez le sachet de thé en pressant le liquide. Incorporer 1 1/2 cuillère à soupe de graines de chia et le yogourt.

2. Remplissez la masse dans 8 moules à glace et laissez congeler environ 1 heure. Ensuite, insérez des bâtons de bois et laissez-les geler pendant encore 3 heures.

3. Hachez le chocolat et faites fondre au bain-marie tiède. Retirez la glace des moules et décorez avec le chocolat et les graines de chia restantes.

Mousse de cheesecake aux framboises

Ingrédients

- 1 tasse de garniture de limonade légère
- 1 boîte de 8 oz de fromage à la crème à température ambiante

- 3/4 tasse de pastilles d'édulcorant sans calories SPLENDA
- 1 cuillère à soupe. à t. de zeste de citron
- 1 cuillère à soupe. à t. extrait de vanille
- 1 tasse de framboises fraîches ou surgelées

Préparation

1. Battre le fromage à la crème jusqu'à ce qu'il pétille; ajouter 1/2 tasse de granulés SPLENDA et mélanger jusqu'à ce qu'ils soient fondus. Incorporer le zeste de citron et la vanille.

2. Réservez quelques framboises pour la décoration. Écrasez le reste des framboises avec une fourchette et mélangez-les avec 1/4 tasse de granulés SPLENDA jusqu'à ce qu'elles soient fondues.

3. Ajouter légèrement la pâte et la garniture au fromage, puis ajouter doucement mais rapidement les framboises concassées. Partager cette mousse dans 6 ramequins avec une cuillère et conserver au réfrigérateur jusqu'à dégustation.

4. Garnir les mousses des framboises réservées et garnir de menthe fraîche avant de servir.

CONCLUSION

En cas d'insuffisance rénale, l'alimentation est l'un des piliers de base du traitement. À tous les stades de la vie, une alimentation adéquate et complète est la meilleure prévention contre les maladies chroniques, et dans le cas où la maladie est déjà présente, elle améliore le pronostic de la maladie et peut retarder sa progression.

Nous devons à tout moment garantir un état nutritionnel adéquat grâce à une alimentation complète et équilibrée, qui couvre les besoins énergétiques et protéiques, et qui apporte suffisamment de glucides, de lipides et de protéines, ainsi que des minéraux et des vitamines.

Dans les maladies rénales, avec un choix alimentaire correct, on évite l'accumulation de substances qui seraient éliminées par l'urine, si les reins fonctionnaient correctement, mais qui, si elles ne l'étaient pas, s'accumulent dans le sang et peuvent entraîner de multiples complications pour la santé, de différents niveaux de gravité.

Pour tout cela, il est très important de prendre soin du régime alimentaire à tous les stades de la maladie, en l'adaptant au fur et à mesure de la progression de l'insuffisance rénale et en l'adaptant plus tard à un traitement de substitution.

Au début de la maladie, dans les différentes phases de l'ACKD (Advanced Chronic Kidney Disease), à mesure que la capacité de filtrage des reins diminue, il est nécessaire de faire très attention à l'alimentation. Les limites de potassium, de phosphore et de sodium autorisées par jour diminueront progressivement avec la progression de la maladie. C'est le cas jusqu'à ce que le patient commence à recevoir un traitement de remplacement rénal (hémodialyse, dialyse péritonéale ou transplantation rénale), moment auquel les restrictions alimentaires deviennent un peu moins sévères, même si elles doivent continuer à maintenir certaines limites sur la contribution des micronutriments, à cela. ils ne s'accumulent pas pour atteindre des niveaux toxiques pendant les périodes interdialytiques.

Les besoins en protéines sont un autre facteur qui change à mesure que la maladie progresse. Chez les patients en prédialyse, par exemple, l'apport en protéines doit être réduit. L'encadrement d'un professionnel de la nutrition sera nécessaire pour éviter un état de malnutrition protéique, qui couvre l'ensemble des besoins énergétiques.

Lightning Source UK Ltd.
Milton Keynes UK
UKHW020722270521
384465UK00005B/76

9 781802 883022